Pierre Nadeau

D0270462

Fièvre mortelle

Fièvre mortelle

Diane Hoh

Traduit de l'anglais par
Louise Binette

Données de catalogage avant publication (Canada)

Hoh, Diane
Fièvre mortelle

(Frissons)
Traduction de: The Fever.

ISBN: 2-7625-7150-2

I. Titre II. Collection
Pz23.H6276Fi 1992 j813'.54 C92-097107-5

Tous droits de reproduction, d'édition, d'impression, de traduction, d'adaptation, par quelque procédé que ce soit, tant électronique que mécanique, en particulier par photocopie ou par microfilm, sont interdits sans l'autorisation écrite de l'éditeur.

Copyright© 1992 Diane Hoh
Publié par Scholastic Inc., New York

Version française
© Les Éditions Héritage Inc. 1992
Tous droits réservés

Dépôts légaux: 3e trimestre 1992
Bibliothèque nationale du Québec
Bibliothèque nationale du Canada

ISBN: 2-7625-7150-2 Imprimé au Canada

LES ÉDITIONS HÉRITAGE INC.
300, Arran, Saint-Lambert (Québec) J4R 1K5
(514) 875-0327

Prologue

Brûlante de fièvre, Dominique Nantel se tourne et se retourne dans le lit, ayant sombré dans un sommeil agité. Chaud... chaud... il fait si chaud... Les flammes s'acharnent sur sa peau parcheminée et sèche...

Qu'est-ce... qu'est-ce que c'est ? Des sons... des bruits lui parviennent. Non... non... elle ne veut pas se réveiller... non... « Laissez-moi tranquille », pense-t-elle...

Des bruits métalliques... Du métal contre du métal...

Maintenant, un cri étouffé, effrayé...

—Qu'est... qu'est-ce que tu...

Puis, un doux murmure, flap flap, flap flap, comme de petites vagues qui viennent mourir sur la rive d'un lac...

Soudain, un autre cri, rempli de terreur, cette fois.

—Non, je t'en prie, ne fais pas ça !

Il fait si chaud... si chaud...

Un bruit sourd, puis le silence envahit la pièce...

Flap flap, flap flap... Clic clic, clic clic...

Dominique s'agite, grogne et essaie de se lever.

Le « clic clic » s'arrête brusquement. Silence.

—Qu'est-ce que c'est ? murmure Dominique.

Mais c'est trop pénible de s'asseoir. Dominique retombe sur l'oreiller de son lit d'hôpital.

—Qu'est-ce que c'est ? répète-t-elle.

Le « clic clic » reprend. Une faible lueur éclaire brièvement la pièce lorsque la porte s'ouvre. Puis, la porte se referme et la lumière disparaît.

Silence.

Chapitre 1

Au quatrième étage de l'hôpital de Sainte-Laurence, Dominique Nantel ouvrit les yeux.

La fièvre l'avait engloutie, brûlant son corps tout entier et la transportant dans un monde étourdissant de rouges éclatants, de violets ardents et de jaunes vifs. Dominique avait été admise à l'hôpital en raison d'une fièvre soudaine et inexpliquée. Depuis son arrivée, l'odeur des antiseptiques dans laquelle baignait le quatrième étage avait été son seul lien avec la réalité lorsqu'elle émergeait d'un sommeil rempli de couleurs.

Bien que déplaisante, l'odeur lui prouvait qu'elle était toujours en vie et ce, même si elle se sentait isolée.

Instinctivement, Dominique tourna la tête vers le lit voisin. Il était vide.

Vide…

Elle n'avait donc pu entendre quoi que ce soit durant la nuit. Le lit était inoccupé depuis qu'elle avait été admise, jeudi soir. Ses parents s'étaient précipités à l'hôpital dans leur familiale, Dominique se trouvant étendue sur la banquette arrière, marmonnant des choses insensées, en proie à un violent délire fébrile. Elle ne se souvenait pas de son arrivée à l'hôpital deux jours auparavant, mais elle était certaine que personne ne se trouvait dans le lit voisin.

Qu'avait-elle entendu, alors? Quels étaient ces bruits? Du métal contre du métal, se rappela-t-elle.

S'agissait-il de bassines de métal qui s'entrechoquaient?

Elle avait chaud... si chaud... On étouffait dans cette pièce. La nuit, par contre, lorsque le chauffage était arrêté, la chambre devenait un véritable réfrigérateur. Elle avait la bouche très sèche... sèche comme les tampons d'ouate avec lesquels on désinfectait son bras avant de lui enfoncer ces affreuses aiguilles dans la chair.

Dominique avait soif. Ses mains, cependant, n'avaient plus de force. De plus, on avait inséré dans sa main gauche une aiguille reliée à un soluté qui lui permettait de recevoir des antibiotiques par voie intraveineuse.

Qu'étaient donc ces autres bruits qu'elle avait entendus? Le bruit sourd... le cliquetis...

Et... cet appel à l'aide désespéré, terrifié?

Non, c'était impossible. Elle avait dû rêver.

Chaud... il faisait si chaud... comme si elle était étendue sur la plage sous le soleil brûlant de juillet.

Elle avait besoin d'eau.

— Garde, murmura-t-elle, garde...

Où étaient-elles donc toutes passées?

Un visage apparut dans l'embrasure de la porte. C'était son médecin, Jacques Morand. Il était jeune, barbu et portait un anneau à l'oreille et des chaussures de sport. Il ne ressemblait pas à un médecin. Les médecins étaient généralement chauves ou grisonnants. Ils prescrivaient des médicaments et renvoyaient les patients à la maison. Le docteur Morand, lui, lui avait fait passer une série d'analyses, lui avait posé un millier de questions... mais ne l'avait pas renvoyée chez elle.

Il ne semblait pas savoir sourire. Il fronçait plutôt les sourcils et paraissait prendre sa maladie très au sérieux. Dominique supposait qu'elle aurait dû lui en être reconnaissante, mais elle avait plutôt envie de lui dire d'être un peu plus gai.

Il prit son pouls, ausculta ses poumons et ordonna à l'infirmière qui l'avait suivi de lui faire une autre prise de sang.

— *Encore ?* gémit Dominique. Je ne crois pas qu'il m'en reste. Il m'en manque au moins un litre.

Il ne sourit pas. Elle ne s'attendait pas à ce qu'il le fasse.

— Nous ne savons toujours pas de quoi tu souffres, dit-il d'un ton grave. C'est probablement la grippe. Mais nous devons en être certains.

Quelques minutes plus tard, il sortit, les épaules voûtées, sans doute préoccupé par le mystérieux mal qui affectait Dominique Nantel.

— Êtes-vous venue dans ma chambre la nuit dernière ? demanda Dominique à la grande infirmière qui, après avoir pris sa température, procédait maintenant à la prise de sang.

— Moi ? Non, j'ai commencé ce matin à sept heures. Pourquoi ?

— Je voulais savoir. Quelqu'un est venu.

— Une autre infirmière, probablement. Ta température doit être prise régulièrement.

Pourtant, personne n'avait pris sa température. Du moins, pas au moment où elle avait entendu les bruits.

Ou peut-être l'avait-on fait? Elle avait pu oublier. Tout était tellement confus dans son esprit. Comment pouvait-elle être certaine de quoi que ce soit? Le jour précédent, sa mère lui avait raconté ce qu'elle avait dit durant le trajet vers l'hôpital. Il s'agissait de propos insensés, comme de conseiller à sa mère d'apporter son parapluie et de crier à son père de changer les ampoules dans la cuisine.

L'infirmière sortit et fut aussitôt remplacée par une autre, jeune et jolie, qui fit la toilette de Dominique, l'aida à enfiler une jaquette d'hôpital propre et lui massa le dos.

Cependant, elle n'avait pas travaillé durant la nuit et ne put aider Dominique à identifier les bruits qu'elle avait entendus. Elle déclara à son tour qu'il devait s'agir d'une infirmière.

Mais une infirmière n'aurait-elle pas répondu lorsque Dominique avait appelé?

Amélie Sénécal, qui était dans la classe de Dominique et faisait du bénévolat à l'hôpital, lui apporta son déjeuner.

Dominique aimait Amélie... maintenant. À l'école, elle avait à peine remarqué l'élève tranquille et obéissante qu'était Amélie et qui portait des vêtements bon chic bon genre — des jupes en tissu écossais et des chandails, par exemple —, et n'avait jamais une mèche de cheveux déplacée tant elle vaporisait de fixatif sur sa chevelure blonde. À l'hôpital, toutefois, Dominique appréciait les qualités d'Amélie. Elle était gentille et serviable.

— Tu viens à peine de te réveiller, paresseuse ? demanda Amélie en souriant tandis que Dominique s'étirait et grognait.

Elle posa le plateau sur la table de chevet en désordre et aida Dominique à prendre une position semi-assise.

— Tu as passé une mauvaise nuit ? demanda Amélie d'un ton sympathique en dépliant la table portative d'une main experte et en la plaçant en travers du lit.

Elle posa le plateau sur la table.

— Pauvre Dominique ! Tu n'as jamais été vraiment malade, n'est-ce pas ? Je m'en suis aperçue. Tu n'as pas l'habitude de tous ces gens qui tournent autour de toi.

Dominique secoua la tête. C'était toujours si difficile de se réveiller le matin et d'entendre les bruits routiniers de l'hôpital.

— Non, murmura-t-elle. Je n'ai jamais été malade. Pas comme ça, du moins. Et je *déteste* ça !

L'uniforme bleu et raide d'Amélie frémit lorsqu'elle fit un signe de tête affirmatif. Elle prit un paquet d'ustensiles dans sa poche et en retira l'enveloppe en plastique. Puis, elle fit glisser un bol de bouillon sur le bord du plateau.

— Je sais que c'est terrible d'être malade. Est-ce qu'on a pris ta température ce matin ? Elle a peut-être baissé.

Amélie était d'un naturel optimiste.

Dominique fit la grimace.

— Je n'en sais rien. L'infirmière qui l'a prise n'était pas d'humeur à m'en parler. Je lui ai demandé si ma température avait baissé. Après tout, c'est *ma* température, pas la sienne. Mais elle s'est contentée de secouer la tête, comme si on allait la jeter en prison si elle me répondait. C'est l'infirmière aux cheveux gris et aux épaules larges comme celles d'un joueur de football.

— Marguerite. C'est une bonne infirmière, Dominique.

Amélie avait adopté un ton sévère.

— Pourquoi ne peut-elle pas me dire comment je vais ? Personne ne me dit quoi que ce soit ici.

Dominique regarda Amélie.

— Ne pourrais-tu pas jeter un coup d'oeil dans mon dossier pour voir si ma température a baissé ?

— Dominique ! s'indigna Amélie. Les bénévoles n'ont absolument pas le droit de consulter les dossiers des patients. Si on me surprenait à en *toucher* un, on me mettrait à la porte et j'adore faire du bénévolat. Oublie ça.

Elle déplia une serviette en papier et la plaça sous le menton de Dominique.

— Ton médecin t'en dira probablement plus long lorsqu'il reviendra te voir cet après-midi.

— Non, il ne le fera pas, gémit Dominique. Il ne me dit jamais rien non plus.

Ses mains tremblaient. La cuillère cliquetait contre le bol. Mais... il ne s'agissait pas du même bruit, se dit-elle. Le bruit qu'elle avait entendu la nuit précédente était... plus aigu.

Elle était si fatiguée. Elle regarda le bol de bouillon d'un air furieux.

— C'est mon déjeuner ? On dirait plutôt un liquide qu'on vaporise sur les fleurs pour tuer les insectes.

Elle poussa brusquement le bol et le bouillon se renversa sur le plateau.

— Si j'avale ça, je vais vomir !

Amélie s'empressa d'essuyer le liquide avec une autre serviette en papier qui se trouvait dans sa poche.

« Bien sûr, elle traîne toujours des serviettes supplémentaires », pensa Dominique. Elle était cependant reconnaissante à Amélie de ne pas lui avoir crié après.

— Dominique, tu dois manger, se contenta-t-elle de dire. Tu dois reprendre des forces. Tu veux sortir d'ici, n'est-ce pas ?

— Oui, répondit doucement Dominique. Je veux sortir d'ici.

— Alors, tu dois manger. Viens, je vais t'aider.

Amélie s'assit sur le bord du lit pour faire manger Dominique.

Celle-ci ouvrit la bouche à contrecoeur.

Chaque fois que la cuillère heurtait le bol, cela lui rappelait les bruits qu'elle avait entendus durant la nuit.

Chapitre 2

Dominique n'avait avalé que deux cuillerées lorsqu'elle entendit une voix rauque.

— Hé ! elle mange ! Il y a du progrès dans cette chambre aujourd'hui.

Un grand garçon vêtu de blanc entra dans la chambre, un large sourire éclairant son visage anguleux.

— Félicitations, Amélie ! Hier, la patiente vomissait rien qu'à voir de la nourriture. Tu dois avoir des pouvoirs magiques.

Mathieu Langevin était garçon de salle à l'hôpital, mais Dominique l'avait rencontré plus d'une fois en ville avant son admission. Son arrivée à Sainte-Laurence quelques mois auparavant avait causé tout un émoi au sein de la population féminine de la polyvalente. Rares étaient ceux qui venaient s'établir ici. Sainte-Laurence était plutôt le genre d'endroit dont les jeunes s'enfuyaient avant même que l'encre n'ait séché sur leur diplôme. L'arrivée du nouveau venu, plus âgé que les filles de la polyvalente et ayant déjà terminé ses études secondaires, avait été inattendue. Et pour la plupart des copines de Dominique, il s'était agi d'une agréable surprise.

Les cheveux de Mathieu étaient épais et droits, légèrement plus foncés que ses yeux bruns. Il avait une démarche nonchalante, comme s'il était fier d'être grand… ou fier d'être Mathieu Langevin. La plupart des filles trouvaient cette démarche séduisante. Dominique, elle, la considérait arrogante.

— Pourquoi ne l'aimes-tu pas ? avait un jour demandé Judith Sansregret, la meilleure amie de Dominique, alors que Mathieu, au volant de sa décapotable noire, passait près d'elles dans le stationnement du centre commercial.

— Je n'ai pas dit que je ne l'aimais pas, avait répondu Dominique. J'ai dit que je ne pourrais jamais l'aimer autant que *lui* s'aime.

Elle avait entendu dire qu'il était joueur de tours, tout comme elle. Cependant, il parlait trop fort, conduisait trop vite et souriait trop facilement. « Vous pensez que je suis adorable, n'est-ce pas ? » semblait-il vouloir dire. « Moi aussi. »

Chaque fois qu'elle le croisait, il se trouvait avec une fille différente. C'était difficile d'imaginer qu'un garçon comme Mathieu Langevin puisse songer à devenir médecin, ce qui était pourtant le cas.

Qu'elle mangeât ou non ne le concernait tout simplement pas.

Dominique le regarda d'un air renfrogné.

— Je n'ai pas besoin d'un garçon de salle. Amélie est là pour m'aider.

Mathieu secoua la tête.

— Je constate que le fait de manger n'a pas amélioré ton humeur. Dommage. Aucune des infirmières ne t'a donc dit que c'était une bonne idée d'être aimable quand on a l'air d'un débris qui vient d'être rejeté sur la plage?

Dominique se sentit rougir et sut que cela n'avait rien à voir avec sa fièvre. Bien qu'odieux, Mathieu avait raison. Ses cheveux étaient gras et elle n'était pas maquillée. Et même si les infirmières lui faisaient sa toilette chaque jour, cela ne valait pas une longue douche chaude.

— Laisse-la tranquille, Mathieu, dit Amélie.

Pourtant, elle souriait.

— Elle est malade. Ne la harcèle pas.

— Je suis venu chercher le lit, dit Mathieu. On en a besoin en pédiatrie.

Dominique regarda le lit, se rappelant les bruits qu'elle avait entendus durant la nuit.

— Amélie, commença-t-elle lentement, ce lit est vide depuis mon arrivée, n'est-ce pas?

Amélie acquiesça.

— Bien sûr. Tu t'en souviendrais si quelqu'un avait partagé ta chambre, Dominique. Mais l'hôpital semble se remplir maintenant. Il y a beaucoup de cas de grippe. C'est probablement ce dont tu souffres.

Elle fit la grimace.

— Il y a beaucoup de travail et pas suffisamment d'infirmières. On a demandé à certains bénévoles de rester pour donner un coup de main. Moi, je dois partir, mais Cynthia et quelques autres ont décidé de rester.

Cynthia Blais était la meilleure amie d'Amélie.

Mathieu poussa le lit vers la porte.

— Essaie de manger quelque chose de sucré, dit-il pour taquiner Dominique. C'est trop triste de voir une femme aigre. Repose-toi, Dominique.

Et il sortit en riant.

— Salaud ! dit Dominique. Une femme aigre ? J'aurais dû lui lancer un oreiller.

Amélie se mit à rire.

— Mathieu est gentil, Dominique. Il a un sens de l'humour très particulier. Il y a quelques semaines, il a pris un squelette qui se trouvait au laboratoire et l'a caché dans un lit vide. Une infirmière du troisième étage, celle qui porte des tresses, l'a trouvé. Elle a failli avoir une attaque.

Dominique réprima une envie de rire. C'était le genre de plaisanterie qu'elle aimait faire. Mais Mathieu avait dit qu'elle ressemblait à un débris.

— Que c'est stupide et enfantin, annonça-t-elle.

Amélie sourit.

— Tu veux rire, Dominique ? Tout le monde à l'école parle encore du jour où Christophe Ratté, Judith et toi avez volé le buste de Charles Baudelaire dans la classe de français de madame Tougas pour ensuite l'accrocher au mât.

Dominique ne tint pas compte de ce qu'Amélie venait de dire.

— Pourquoi Mathieu n'a-t-il pas été congédié ? Je connais le directeur de l'hôpital, le docteur Couture. Il n'a pas l'air de quelqu'un qui a le sens de l'humour.

Amélie haussa les épaules.

— Mathieu s'est fait sermonné. Mais il a raconté au docteur Couture qu'il s'agissait d'une expérience pour étudier les effets psychologiques d'un choc.

Amélie se mit à rire.

— Je ne crois pas que le docteur Couture soit tombé dans le panneau, mais il n'a pas congédié Mathieu.

Dominique était ennuyée de voir Amélie rire. Celle-ci, habituellement trop sérieuse pour approuver quiconque désobéissait aux règlements, trouvait sûrement Mathieu mignon. Mathieu était le genre de garçon qui pouvait toujours se tirer d'un mauvais pas grâce à son apparence. Dominique détestait cela. C'était si injuste.

— J'aurais cru que toutes les infirmières le haïraient. Il est si insolent, dit-elle.

Amélie se leva et saisit le plateau de Dominique.

— Non, au contraire. Il travaille très fort. Parfois, il reste après le travail pour donner un coup de main. Il est toujours à l'hôpital. Les infirmières apprécient son dévouement, surtout en ce moment.

— Amélie, commença Dominique. Es-tu absolument certaine qu'il n'y avait personne dans l'autre lit hier soir? J'étais si perdue hier… Peut-être a-t-on amené un malade pendant que je dormais, mais il s'est senti mieux et est retourné chez lui avant mon réveil et avant ton arrivée ce matin.

Amélie fronça les sourcils.

— Dominique, ce n'est pas un hôtel ici. Les gens ne restent pas ici seulement pour quelques heures. Le patient qui se trouvait dans ce lit est parti la semaine dernière et personne n'a pris sa place depuis.

Le plateau à la main, Amélie dévisagea Dominique de ses yeux ronds et bleus.

— C'est la deuxième fois que tu m'interroges à propos de ce lit. Qu'est-ce qu'il y a?

Dominique secoua la tête.

— Rien. C'est juste que… C'est sans importance. Oublie ça.

Comment pouvait-elle expliquer ce qu'elle avait entendu quand elle ne le savait pas elle-même ? Elle n'était plus certaine, le jour venu, d'avoir entendu quelque chose.

— Écoute, je dois partir, dit Amélie. Je t'apporterai des magazines tout à l'heure, d'accord ? Est-ce que Judith ou Christophe te rendront visite cet après-midi ?

Après Judith, Christophe Ratté était le meilleur ami de Dominique.

— Je l'espère.

Ses amis et sa famille lui manquaient. C'était samedi. Si elle avait été chez elle, elle serait peut-être allée au centre commercial, puis au cinéma... La vie continuait à l'extérieur de l'hôpital et elle n'en faisait plus partie. Elle *détestait* cela.

Amélie se dirigea vers la porte.

— Repose-toi, dit-elle avant de sortir. Docteur Morand dit que c'est le meilleur remède.

Dominique se retrouva seule. Elle savait qu'Amélie avait raison. Elle s'étendit sur le drap rude et jauni et ferma les yeux. Mais elle eut soudain peur de s'endormir. Elle ne voulait pas refaire le même cauchemar avec tous ces bruits... et ce cri de terreur.

S'il s'agissait bien d'un cauchemar...

Chapitre 3

Dominique était couchée dans son lit d'hôpital, les yeux au plafond; son joli visage ovale était rouge de fièvre. Elle n'arrivait pas à dormir.

« J'aimerais que Judith et Christophe soient là, pensa-t-elle. Si je leur raconte mon cauchemar, Christophe trouvera une explication logique et rationnelle, comme d'habitude. »

Christophe Ratté, qui avait obtenu son diplôme d'études secondaires l'année précédente, avait le génie des mathématiques. On lui avait offert plusieurs bourses qu'il avait dû refuser pour continuer à travailler au magasin de chaussures de son oncle.

Dominique et lui s'étaient d'ailleurs querellés à ce sujet.

— Tu es fou ! avait-elle crié.

— Tu ne comprends pas. Je lui *dois* bien cela ! avait-il répondu.

Christophe était l'ami de Dominique depuis que celle-ci avait neuf ans. Il avait fait son entrée en quatrième année. Ses cheveux roux étaient presque de la même couleur que ceux de Dominique — ceux de Christophe évoquaient plutôt la carotte tandis que ceux de Dominique rappelaient la cannelle. Il s'était assis à côté d'elle et, durant le cours d'arithmétique, la grenouille qu'il avait cachée dans l'une de ses poches s'était enfuie et avait bondi sur le plancher. Sans réfléchir, Dominique l'avait récupérée et enfouie dans les plis de son sweat-shirt gris avant que la vieille madame Laurier aux yeux d'aigle ne l'aperçoive et ne la confisque. Après le cours, elle avait remis la grenouille à Christophe.

Ils étaient amis depuis ce jour, malgré le fait que Christophe soit passé directement du secondaire I au secondaire III, laissant Dominique derrière.

Ils n'avaient jamais été plus que des amis, bien que Christophe fût très séduisant. Toutefois, il n'en était pas conscient ; accaparé par la misère de sa vie familiale, il n'avait pas de temps pour l'amour. Ayant perdu ses parents à neuf ans dans un accident d'automobile, il avait été pris en charge par un oncle et une tante.

— C'est notre devoir, disaient ceux-ci à tout le monde d'un ton moralisateur.

Sévères et froids, ils croyaient que les enfants devaient être utiles. Christophe travaillait donc au magasin de chaussures de son oncle, plaçant la marchandise sur les tablettes, triant les souliers selon leur pointure et étiquetant des boîtes. Il détestait cela au plus haut point.

Il y avait quelque temps, Dominique avait appris pourquoi Christophe avait refusé les bourses. Judith lui avait raconté que, lorsqu'il avait obtenu son diplôme, son oncle avait exigé que Christophe rembourse chaque cent qu'ils avaient dépensé pour lui au fil des ans en travaillant au magasin et ce, jusqu'à ce que la « dette » soit acquittée.

— Pourquoi ne m'a-t-il rien dit ? s'était écriée Dominique.

— Il craignait que tu le traites de poule mouillée, avait expliqué Judith.

Dominique avait alors eu honte, car Christophe avait raison. Elle l'aurait fait.

Christophe lui avait raconté plus tard qu'il aurait passé outre les exigences de son oncle et quitté la ville, mais sa tante avait subi une crise cardiaque et ne pouvait plus travailler. Il avait alors senti qu'il n'avait pas le choix. Il allait rester.

Dominique savait que bon nombre de ses amis ne comprenaient pas. Christophe était séduisant, intelligent et gentil. Pourquoi n'en était-elle pas amoureuse ? Elle aimait Christophe parce qu'il la comprenait et acceptait son caractère agité, son sens de l'humour particulier et même son tempérament. Elle savait qu'elle pouvait toujours compter sur lui.

Maintenant, il lui manquait autant que ses parents et Judith.

— Salut, dit soudain une voix.

Dominique se retourna, ses yeux gris remplis d'espoir.

Mais ce n'était pas Christophe. Ni Judith. Louis Marchand, un camarade de classe et employé de l'hôpital, se tenait à côté de son lit. Il portait l'uniforme vert pomme obligatoire et des chaussures de même couleur. Louis était très costaud et consacrait une heure par jour à ses exercices de musculation. Il avait eu le nez fracturé deux fois au même endroit en jouant au football et son nez était maintenant légèrement de travers. Cela aurait pu donner un air méchant à son visage carré et honnête si son nez n'avait pas été parsemé de taches de rousseur. Contrairement à Christophe, Louis avait du mal à obtenir de bons résultats à l'école. Cela l'empêcherait peut-être de poursuivre ses études en médecine.

Cependant, tout comme Cynthia et Mathieu, Louis était déterminé à devenir médecin. Dominique le connaissait depuis quatre ans et lorsqu'il voulait quelque chose, il l'obtenait généralement. Le fait de travailler à temps partiel à l'hôpital le mettait en contact avec des médecins qui, s'il leur faisait bonne impression, pourraient dire un mot en sa faveur au moment de son inscription en médecine.

— Votre employé d'entretien préféré est là ! plaisanta-t-il en souriant.

Ses yeux bleu foncé fixèrent le visage rougi de Dominique.

— Est-ce que je peux faire quelque chose pour toi ? Tu as l'air vraiment malade. Ça va ?

Dominique lui jeta un regard furieux.

— Louis, est-ce que je serais ici si j'allais bien ?

Elle désigna le soluté qui s'écoulait dans ses veines.

— Ce truc ne me fait aucun bien. Je récupérerais beaucoup plus vite chez moi.

— Je sais que tu détestes ça ici, Dominique. Ce n'est pas le meilleur endroit pour passer le week-end. Mais parfois, quand on est aussi malade que toi, c'est l'endroit le plus sûr.

Lorsqu'il se retourna pour saisir la poubelle, son balai heurta le contenant en métal.

Ce son, la nuit précédente... était-ce le même ?

Non. Ce n'était pas tout à fait pareil.

— Louis, demanda-t-elle, est-ce que tu travaillais cette nuit ?

— Non. Pourquoi ?

Il souleva la poubelle presque pleine.

Déçue que Louis ne puisse l'aider, Dominique se laissa tomber sur l'oreiller.

— J'ai fait un cauchemar... commença-t-elle. Du moins, je crois que c'en était un. Il y avait des bruits... c'était vraiment bizarre, comme si quelqu'un se trouvait dans la pièce. Il faisait trop noir pour voir et j'étais plutôt endormie. J'étais certaine que quelqu'un se trouvait ici. Mais lorsque j'ai appelé... si je l'ai *vraiment* fait, personne ne m'a répondu.

Louis parut intéressé.

— L'autre lit est parti. Quelqu'un est peut-être venu le chercher pendant que tu dormais et c'est ce que tu as entendu.

Dominique secoua la tête.

— Non. Mathieu est venu le chercher tout à l'heure pour l'apporter en pédiatrie.

Louis réfléchit durant une minute.

— L'une des infirmières m'a dit que ta température était terriblement élevée à ton arrivée. Ce n'est pas étonnant que tu aies entendu des bruits. Je suis surpris que tu ne t'imagines pas voir des choses aussi.

Il s'arrêta.

— Tu n'as rien vu hier soir ?

— Non, il faisait trop noir.

Louis sortit pour vider la poubelle dans l'énorme contenant à roulettes qui se trouvait dans le couloir.

Lorsqu'il s'éloigna, Dominique se redressa dans son lit. Il y avait quelque chose...

— Fais-le encore, dit Dominique quand Louis eut remis la poubelle à sa place.

— Quoi?

— Sors et entre. Allez! Cesse de me regarder comme ça! Fais-le, c'est tout.

Louis fronça les sourcils et obéit.

— Qu'est-ce que ça veut dire? demanda-t-il une fois revenu.

— Tes souliers!

Dominique se pencha pour mieux voir.

— C'est l'un des bruits que j'ai entendus la nuit dernière... Flap flap, flap flap. Des souliers à semelles de caoutchouc!

Louis ne parut pas impressionné.

— Dominique, dit-il gentiment, nous sommes dans un hôpital. Presque tout le monde porte des souliers de ce genre pour ne pas déranger les malades.

— Oui, mais si un membre du personnel se trouvait dans ma chambre la nuit dernière, pourquoi n'a-t-il pas répondu quand j'ai appelé?

— Tu es certaine que ce n'était pas un cauchemar?

Déçue de la réponse de Louis, Dominique se laissa retomber sur l'oreiller.

— Hé, ne sois pas fâchée, dit Louis doucement en lui prenant la main. C'est peut-être à cause de la fièvre.

Dominique ne voulait pas se disputer avec Louis. Ils étaient amis depuis longtemps. Elle aurait peut-être même pu sortir avec lui s'il n'avait pas pensé, comme tout le monde, que Christophe et elle formaient un couple. Il avait donc commencé à fréquenter Amélie Sénécal. Ils avaient rompu quelques semaines auparavant. Louis était si gentil avec Dominique depuis qu'elle était hospitalisée qu'elle commençait à se demander s'il n'espérait pas plus qu'une relation amicale.

Quand elle irait mieux, peut-être...

— Tu dois avoir raison, dit-elle. Quand ma température monte, je n'arrive pas à faire la différence entre ce qui est réel et ce qui ne l'est pas.

Constatant avec soulagement que Dominique n'était pas fâchée, Louis se mit à balayer la chambre.

— As-tu vu Judith ou Christophe? demanda Dominique.

Louis jeta un coup d'oeil à sa montre.

— Il est trop tôt pour les visites. Tu devras attendre à cet après-midi. Ne travaille-t-il pas aujourd'hui?

Louis avait prononcé ces derniers mots avec une note de ressentiment dans la voix. Christophe et lui n'étaient pas bons amis. Louis, fort et déterminé, excellait au football tandis que Christophe, agile et rapide, avait beaucoup de succès en athlétisme. C'était peut-être ce qui expliquait la rivalité entre eux... à moins que ce ne soit quelque chose de plus profond. Louis faisait partie d'une famille nombreuse et heureuse, mais avait des ennuis à l'école. Christophe, de son côté, avait une vie familiale misérable, mais était premier de classe et avait obtenu des bourses que Louis rêvait d'avoir.

Quand Louis parlait de Christophe, son expression n'était plus aussi chaleureuse.

Cela ne dura pourtant qu'une seconde.

— Je ne sais pas s'il travaille. Je ne l'ai pas vu depuis que je suis ici.

Lorsqu'il eut terminé, Louis s'approcha de son lit et tint sa main dans la sienne durant un bref instant.

— Garde la tête haute et suis les conseils du médecin même si ça ne te plaît pas, d'accord ? Je reviendrai te voir tout à l'heure.

Dominique écouta le bruit de ses pas qui s'éloignaient. Cela lui rappela…

Elle était stupide. Bien sûr qu'elle avait entendu ce bruit auparavant. Tous les employés de l'hôpital portaient ce type de chaussures.

Mais alors, pourquoi la personne qui se trouvait dans la chambre ne lui avait-elle pas répondu quand elle avait appelé ? Quel médecin ou infirmière ignorerait l'appel d'un patient dans la nuit ?

Aucun. Louis devait avoir raison. Elle avait rêvé.

Chapitre 4

Lorsque Cynthia Blais entra dans la chambre après le lunch, Dominique tentait de peigner ses cheveux cannelle emmêlés.

— Oh ! j'abandonne ! cria Dominique d'un ton désespéré en lançant le peigne de l'autre côté de la pièce.

— Du calme, du calme, dit Cynthia doucement.

Elle alla récupérer le peigne d'un pas raide et le redonna à Dominique.

— Il ne faut pas que tu t'énerves. Ta température va monter de nouveau.

— Oh ! qu'est-ce que ça peut bien faire ? grommela Dominique. Je ne sortirai jamais de ce terrible endroit. Je suis emprisonnée ici pour toujours.

Cynthia, qui avait relevé ses longs cheveux châtains droits en un chignon, sourit.

— Dominique, tu n'es ici que depuis deux jours. Tu devrais te réjouir de ne pas souffrir d'une maladie chronique, comme certains des enfants en pédiatrie. Ils entrent et sortent de l'hôpital sans jamais se plaindre.

— Ne me sermonne pas, Cynthia.

Dominique détestait l'apparence de Cynthia. Ses cheveux étaient doux et propres, son uniforme bleu pâle semblait fraîchement repassé et son teint était radieux.

Cynthia était la personne la plus ambitieuse et la plus énergique que Dominique connaissait. Elle complétait deux années scolaires simultanément afin d'obtenir son diplôme rapidement et de commencer ses études en médecine... qu'elle terminerait probablement en moins de six semaines, pensait Dominique.

Celle-ci jeta un regard envieux à Cynthia. Elle avait certainement pris une longue douche chaude et lavé ses cheveux ce matin. C'était suffisant pour la détester. Si seulement elle n'était pas si gentille...

— Pourquoi ne puis-je prendre une douche? demanda Dominique d'un ton suppliant. Cynthia, tu pourrais m'accompagner aux douches, n'est-ce pas? Je t'en prie. Mathieu m'a dit que j'avais l'air d'un débris rejeté sur la plage et c'est vrai. Il est odieux, mais il a raison.

Cynthia secoua la tête.

— Dominique, je sais comment tu te sens, mais tu dois être patiente. Lorsque le docteur Morand dira que tu peux prendre une douche, tu en prendras une. Je t'accompagnerai. Mais pas maintenant.

Dominique maugréa tandis que Cynthia faisait bouffer son oreiller.

— Dominique, détends-toi, dit Cynthia d'un ton ferme mais doux.

— Excuse-moi, Cynthia. Je sais que je suis une patiente difficile. C'est juste que...

— Je sais. Tu n'es pas du genre à rester au lit, Dominique. Ça doit te rendre folle. Mais tu sortiras d'ici très bientôt, je te le promets.

Toutes les infirmières disaient cela lorsqu'un patient se montrait désagréable. Elles apprenaient probablement cette phrase lors de leur première semaine de cours.

— Hé ! où est passé l'autre lit ? demanda Cynthia. Il était là hier.

— Mathieu l'a apporté en pédiatrie.

Cynthia se dirigea vers le rideau fleuri qui se trouvait du côté du deuxième lit.

— Alors, nous pouvons lever les stores et tirer ce rideau. Ils empêchent la lumière de pénétrer dans la pièce. Pas étonnant que tu sois déprimée.

Cynthia leva d'abord les stores, puis tira le rideau.

Dominique écarquilla les yeux tandis que le rideau glissait sur la tringle en faisant un bruit identique à celui qu'elle avait entendu durant la nuit.

Elle *avait* entendu ce bruit. Elle n'avait pas rêvé.

— Il y avait quelqu'un dans cette chambre hier soir, dit-elle.

Satisfaite de voir la lumière du soleil éclairer la pièce, Cynthia se retourna.

— Qu'est-ce que tu as dit ?

Dominique s'appuya contre son oreiller.

— J'avais cru entendre quelqu'un dans la chambre hier soir. Louis prétend que j'ai dû imaginer tout ça à cause de la fièvre. J'avais presque décidé de le croire jusqu'au moment où tu as tiré ce rideau. Maintenant, je *sais* que j'ai entendu quelque chose. Quelqu'un a tiré ce rideau la nuit dernière.

Cynthia retourna au chevet de Dominique et la regarda.

— Je ne comprends pas ce que tu veux dire. Bien

sûr que quelqu'un est entré dans cette chambre. Il fallait s'occuper de toi. Ta température doit être prise régulièrement. C'est *ton* rideau qu'on a dû tirer, pas l'autre.

Elle sourit.

— Nous n'avons pas de temps à perdre avec des lits inoccupés.

Dominique secoua la tête.

— La personne qui se trouvait ici n'a pas répondu quand j'ai appelé. On ne voulait pas que je sache qu'il y avait quelqu'un dans la chambre. C'est *ça* qui est étrange, Cynthia.

Avant que celle-ci n'ait pu répondre, une fille courte et trapue, portant des bermudas trop serrés, un ample sweat-shirt rose et une énorme boucle rose dans ses cheveux noirs frisés, entra dans la pièce. Son visage en forme de coeur était d'une beauté étonnante; ses yeux étaient presque violets, ses cils, fournis et ses sourcils, parfaitement dessinés. Son teint ivoire était sans défaut, aussi lisse qu'une photo retouchée. Elle transportait une pile de magazines et était hors d'haleine.

— Ascenseur... en panne... de nouveau...

La meilleure amie de Dominique, Judith Sansregret, chercha son souffle.

— L'autre... bondé... J'ai dû... monter... escalier...

Ses jolies pommettes étaient rouges et de la sueur perlait sur sa lèvre supérieure.

— Assieds-toi! ordonna Cynthia en poussant une chaise devant Judith.

Celle-ci obéit. Cynthia s'empressa de verser un verre d'eau et le tendit à Judith.

— Tiens, bois. Et la prochaine fois, attends l'ascenseur qui fonctionne, ajouta-t-elle d'un ton sévère. Monter quatre étages avec une pile de magazines n'est pas raisonnable pour quelqu'un…

Elle s'arrêta, ne voulant visiblement pas être cruelle.

— Allez, dis-le, haleta Judith. Pour quelqu'un de trop gros. Tu ne crois pas vraiment que je ne m'en suis pas rendu compte, n'est-ce pas ?

Un sourire espiègle éclaira son visage.

— Tu ne recommandes pas l'exercice, Cynthia ? Je croyais que tous ceux qui travaillent en milieu médical prêchaient la bonne forme physique.

— Personne n'a dit qu'il fallait tout faire en une journée.

Cynthia se tourna vers Dominique.

— Puisque tu as de la compagnie, je retourne travailler. Je vais demander qu'on répare cet ascenseur, Judith.

Cynthia sortit de la chambre.

Judith soupira.

— Si mince, si efficace, si brillante… On aurait envie de la gifler !

Dominique sourit faiblement.

— Surtout lorsqu'on est couchée dans ce lit, les cheveux gras, en sueur et sans espoir de prendre une douche. Cependant, continua-t-elle d'un ton plus sérieux, Cynthia m'aide beaucoup. Je ne sais pas où elle trouve le temps, mais elle vient très souvent me voir.

Dominique s'agita dans son lit.

— Où est Christophe ? Il ne t'a pas accompagnée ?

Judith secoua la tête et retira ses chaussures noires usées.

— Il n'a pas pu venir. Son bourreau d'oncle le fait travailler beaucoup depuis quelque temps.

— Pauvre Christophe ! murmura Dominique.

Elle était amèrement déçue. La visite de Judith lui faisait plaisir, mais elle aurait voulu raconter son *cauchemar* à Christophe. Elle avait besoin de son esprit rationnel.

— Quelqu'un d'autre est venu te voir ? demanda Judith d'un ton faussement désinvolte.

Dominique comprit qu'elle voulait parler de Louis. Judith avait jeté son dévolu sur lui depuis qu'elle savait qu'Amélie et lui avaient rompu.

Dominique savait à quel point Judith se sentait seule. Sa mère était décédée lorsqu'elle avait douze ans, au moment où Daniel, son frère aîné, s'en allait au collège. Trois ans plus tard, son père s'était remarié, mais Judith ne s'entendait pas très bien avec sa belle-mère.

Populaire auprès des filles grâce à sa gentillesse et à son sens de l'humour, elle avait moins de succès auprès des garçons, malgré sa beauté.

Dominique s'était aperçue que Judith voulait tellement avoir quelqu'un dans sa vie qu'elle s'accrochait trop. Dès le premier rendez-vous avec un garçon, elle agissait comme s'ils étaient destinés à passer le reste de leur vie ensemble.

Cette attitude effrayait les garçons, de toute évidence.

— Oui, répondit Dominique. Louis est venu.

La déception se lisait sur le visage de Judith. Celle-ci était convaincue que Louis était attiré par Dominique. Cela pourrait causer un sérieux conflit entre les deux amies.

Mais Dominique ne pouvait pas songer à cela maintenant. Il y avait des choses plus importantes auxquelles elle devait penser.

Elle raconta son cauchemar à Judith.

— Louis croit que j'ai imaginé ces bruits à cause de la fièvre. Tu crois que c'est possible ?

Judith haussa les épaules.

— Ce que je sais, c'est que tu me manques, dit-elle tristement. Je déteste te voir malade. Je sais que je ne devrais pas penser à moi, mais je ne peux m'en empêcher. Mon père et Suzanne sont occupés, mon frère se consacre à sa famille et à son travail au laboratoire et Christophe est retenu prisonnier par son oncle. Tu crois que tu vas sortir bientôt ?

À son tour, Dominique haussa les épaules.

Judith resta presque tout l'après-midi. Dominique était ravie d'avoir de la compagnie, mais lorsque l'infirmière vint prendre sa température à quinze heures trente, elle renvoya Judith chez elle.

— Cette jeune fille a besoin de repos, dit-elle brusquement. Dehors !

Une fois seule, Dominique repensa aux bruits de la nuit précédente. Elle avait entendu des protestations, des murmures effrayés.

Il avait dû se passer quelque chose de terrifiant dans cette chambre.

Louis avait pourtant dit qu'elle se trouvait dans un endroit sûr.

Il se trompait peut-être.

Chapitre 5

L'infirmière qui vint prendre la température de Dominique après le souper fronça les sourcils en regardant le thermomètre.

— Le docteur ne sera pas content. Ta température a monté d'un degré. Tu ne t'es pas reposée comme le médecin te l'avait recommandé, dit-elle d'un ton accusateur.

— J'ai besoin d'exercice, c'est tout. N'importe qui ferait de la fièvre en restant dans ce stupide lit toute la journée. Pourquoi ne puis-je me lever ?

— Parce que tu fais de la fièvre, répondit-elle patiemment. Si seulement tu obéissais au médecin...

Elle sortit de la pièce, le dossier de Dominique sous le bras.

« J'ai pourtant fait ce qu'on m'avait dit de faire, pensa Dominique, et il n'y a aucune amélioration. Ce dont j'ai besoin, c'est de me lever afin que mon corps sache qu'il est encore en vie. »

Dominique décida d'attendre la fin des heures de visite avant de sortir de sa chambre. La boutique de cadeaux qui se trouvait au rez-de-chaussée serait alors déserte et elle pourrait aller acheter des magazines et du shampoing.

Ses parents ne restèrent pas longtemps, devinant que leur fille préférait bavarder avec ses amis.

Pendant qu'ils étaient là, toutefois, Dominique tenta de les convaincre de la ramener à la maison.

— Mon état ne s'améliore pas ici, dit-elle d'un ton suppliant. Et il y a des bruits bizarres quand j'essaie de dormir...

— Chérie, répondit sa mère patiemment, le docteur Morand nous avisera quand il sera temps que tu rentres chez nous. Il sait ce qu'il faut faire.

— Tu sais, ajouta son père, nous avons eu très peur en voyant notre fille habituellement débordante de santé étendue sur le canapé, immobile, le visage rouge de fièvre. Nous ne voulons courir aucun risque en te ramenant trop tôt à la maison.

Après lui avoir gentiment demandé de ne pas être désagréable avec le personnel — ils la connaissaient si bien —, ses parents partirent.

Peu de temps après, Judith arriva seule, sans Christophe. Avant que Dominique, déçue, n'ait eu l'occasion de lui demander pourquoi il n'était pas venu, Cynthia et Amélie, qui avaient terminé leur journée de travail, se joignirent à elles. Cynthia avait l'air fatiguée, mais Amélie semblait encore pleine d'entrain.

— Je ne peux pas rester longtemps, dit Cynthia en se laissant tomber sur une chaise au pied du lit de Dominique. Je dois étudier en vue de mon examen de chimie. Je passerai probablement la nuit debout.

— Tu travailles trop, dit doucement Amélie en s'assoyant sur le lit à côté de Dominique.

— Il manque de personnel ici. Surtout en ce moment, avec tous ces cas de grippe.

Mathieu passa la tête dans l'embrasure de la porte.

— Hé ! on ne m'a pas invité à la fête ? demanda-t-il en entrant d'un pas tranquille. Marchand s'en vient, continua-t-il en désignant le corridor.

Dominique fit comme si elle n'avait rien entendu et se tourna vers Judith.

— Je croyais que Christophe serait avec toi.

— Je suis arrêtée au magasin de son oncle cet après-midi, mais il n'était pas là. Son oncle semblait furieux. Ils ont dû se disputer et Christophe ne s'est pas présenté au travail. Je ne le blâme pas.

— Vous parlez de Ratté ? demanda Louis en entrant dans la pièce. Il a décampé.

— Décampé ? répéta Dominique en fronçant les sourcils.

— Ouais. Il a quitté la ville. Il a mis tout ce qu'il avait dans sa voiture et est parti vers la Californie ensoleillée.

Dominique le fixa. Non ! Louis devait se tromper. Christophe ne serait pas parti sans lui dire au revoir.

— Quand est-il parti ? demanda-t-elle.

En constatant à quel point elle était bouleversée, Louis sembla avoir des remords.

— J'aurais peut-être mieux fait de me taire. J'ai cru que tu étais déjà au courant. Je ne sais pas exactement quand il est parti. Je l'ai croisé hier soir et il m'a dit qu'il s'en allait, ne pouvant plus supporter son oncle.

— Il n'est peut-être pas encore parti, dit Dominique avec une note d'espoir dans la voix.

— Oui, il est parti, dit Louis. Son oncle a téléphoné à mon père ce matin.

Le père de Louis était notaire.

— Il a dit qu'il voulait le déshériter. Il ne lui laisse

pas un cent. Il prétend que Christophe ne mérite pas son héritage puisqu'il l'a «abandonné». Pourquoi es-tu si surprise? demanda-t-il à Dominique. Nous savions tous qu'il ne resterait pas dans ce magasin de chaussures toute sa vie. Son oncle était insupportable, tu l'as dit toi-même.

C'est vrai, elle l'avait dit. Elle ne le blâmait pas. Pas du tout.

Mais elle était amèrement déçue de n'avoir pas eu l'occasion de lui dire au revoir... de lui souhaiter bonne chance.

— Dominique, dit doucement Cynthia, je suis persuadée que Christophe est venu pour te saluer. Mais tu étais tellement malade qu'on n'a pas dû lui permettre de te voir. Ce n'était pas sa faute. Il t'appellera une fois installé.

Un silence embarrassé envahit la chambre.

— Cynthia a raison, dit Dominique en refoulant ses larmes. En attendant, poursuivit-elle après une profonde inspiration, je dois me lever. J'irai faire une petite promenade quand les corridors seront déserts tout à l'heure. J'en ai assez d'être malade.

Comme Dominique s'y attendait, Cynthia et Amélie protestèrent. Elle n'était pas assez forte pour quitter sa chambre, selon elles.

Dominique se tut. Cynthia et Amélie finirent par abandonner et partirent.

— Je crois que c'est une bonne idée, dit Judith.

Celle-ci avait hâte de voir son amie sur pied.

— Mais ne va pas trop loin.

Louis et Mathieu, qui, visiblement, désapprouvaient également son idée, ne discutèrent pas, cependant, et partirent en même temps que Judith.

Lorsque Dominique s'assit et balança ses jambes sur le bord du lit, la pièce se mit à tourner autour d'elle. Cela ne dura pas. Elle glissa ensuite ses pieds dans ses pantoufles et enfila son peignoir. Puis, elle se leva.

Des bouffées de chaleur lui montèrent alors au visage et sa vision devint floue de nouveau. Un pas… si seulement elle pouvait faire un pas sans tomber. Non sans hésitation, elle mit un pied devant, s'agrippant au poteau roulant auquel était accroché son soluté.

Elle était toujours debout. Encore un pas, puis un autre et elle atteignit la porte.

Elle passa la tête dans l'embrasure de la porte et constata avec satisfaction que le couloir était désert. Le champ était libre.

C'était formidable d'être debout, bien qu'elle se sentît comme un petit enfant faisant ses premiers pas. Ses jambes menaçaient de se dérober sous elle à tout moment. Toutefois, elle continua à marcher lentement dans le long couloir étroit.

— Ça ne te plaît pas d'être enfermée, n'est-ce pas ? demanda doucement Mathieu Langevin qui avait surgi de nulle part.

Elle sursauta et heurta le mur.

— Tu m'as fait peur ! siffla-t-elle, furieuse.

— Je ne te blâme pas, dit-il en ignorant sa colère. Être enfermé me rendrait fou également.

Fou ?

— Je ne suis pas folle ! Être confinée dans cet hôpital ne me rend pas folle, pas plus que ma fièvre.

Mathieu leva les mains devant lui, feignant de se défendre.

— Calme-toi, dit-il en s'approchant pour lui prendre le bras. Je voulais seulement m'assurer que tu étais assez forte pour faire cette petite excursion. Tu ne me sembles pas très solide. Tes jambes tiendront le coup ?

— J'ai changé d'idée, dit-elle soudain. L'infirmière avait raison. Il est encore trop tôt pour me lever. Tu veux bien m'aider à regagner ma chambre ?

Si elle devait faire une petite promenade, elle la ferait seule. Elle ne voulait pas que Mathieu Langevin la supporte comme si elle était une vieille dame chancelante. Elle allait d'abord se débarrasser de lui ; ensuite, après s'être assurée qu'il n'y avait vraiment personne aux alentours, elle irait marcher.

— Ce Christophe, demanda Mathieu en la raccompagnant à sa chambre, c'est quelqu'un à qui tu tiens beaucoup ?

Elle ne croyait pas être en mesure de parler de Christophe sans pleurer et n'avait pas l'intention d'éclater en sanglots devant Mathieu Langevin.

— Un ami, dit-elle d'une voix forcée.

— Rien qu'un ami ?

— Un bon ami.

Ce fut tout ce qu'elle put répondre.

— Oh !

Il la laissa à la porte de sa chambre et disparut dans le couloir.

Après avoir vérifié qu'elle avait assez d'argent dans sa poche pour acheter un magazine et du shampoing, Dominique regarda encore une fois dans le couloir. Une infirmière sortit de la salle des douches avec une patiente. Dominique rentra brusquement dans sa chambre. Une douche ! Peut-être que, si sa température baissait suffisamment, elle pourrait convaincre quelqu'un de la laisser prendre une douche.

Le couloir était de nouveau vide et les lumières avaient été baissées pour la nuit. Le poste des infirmières était désert. Des murmures provenant des autres chambres indiquaient que le personnel s'affairait à préparer les patients pour la nuit. C'était le temps ou jamais de s'esquiver.

Elle traversa le couloir aussi rapidement qu'elle le pouvait et se dirigea vers les ascenseurs. L'un d'eux affichait « en panne ».

Dominique appuya sur le bouton de l'ascenseur qui fonctionnait et attendit impatiemment que la flèche argentée au-dessus de la porte s'arrête au numéro quatre. Dominique s'approcha des larges portes en métal, se préparant à entrer dans l'ascenseur dès qu'elles s'ouvriraient.

L'ascenseur atteignit enfin le quatrième étage et les portes s'ouvrirent.

— Dominique ! cria une voix à sa droite. *Arrête !*

Au moment où elle allait poser son pied droit sur le plancher de l'ascenseur, Dominique tourna la tête pour voir qui avait crié son nom. Elle n'avait pas l'intention de laisser qui que ce soit gâcher ses projets et ne s'arrêta pas.

Cependant, avant que son pied n'ait touché le sol, une masse blanche se précipita sur elle, lui faisant perdre l'équilibre et la projetant en arrière. Trop stupéfaite pour crier, elle tomba assise par terre, à moitié écrasée par le projectile blanc qui se trouvait maintenant sur elle. Essayant de reprendre son souffle, Dominique constata, abasourdie, que le poids qui la maintenait au sol avait des cheveux… des bras… des jambes…

Mathieu Langevin.

— Tu es fou ! haleta-t-elle. Qu'est-ce que tu fais ?

— Regarde ! dit Mathieu en désignant l'ascenseur d'un doigt tremblant. Regarde !

Dominique tourna la tête dans la direction qu'il indiquait.

Les portes de l'ascenseur étaient grandes ouvertes.

Mais il n'y avait pas de cabine.

Il n'y avait qu'un trou noir et béant.

Chapitre 6

Dominique s'appuya contre le mur, les épaules tremblantes, tandis que Mathieu se levait pour récupérer le poteau auquel était accroché le soluté de Dominique.

— Il... n'y a rien là-dedans, dit-elle d'un ton las, les yeux rivés sur le grand trou noir qui s'apprêtait à l'avaler. Je... je serais tombée... dans le vide. Dans le *vide* !

— Et tu aurais atterri cinq étages plus bas, ajouta Mathieu d'un air mécontent. C'est la faute de Marchand. Je lui ai dit que c'était l'ascenseur numéro *deux* qui ne fonctionnait pas. Il a mis l'affiche « en panne » sur le mauvais ascenseur.

Il secoua ses boucles sombres.

— Quelqu'un aurait pu être tué. *Tu* aurais pu être tuée.

Il se leva pour remettre le poteau en position verticale et aider Dominique à se relever.

— Attends que je mette la main sur Louis ! Son chef de service sera mis au courant de cet incident.

Dominique ne pouvait détacher son regard du trou noir. Vide. Aucune cabine pour la transporter au rez-de-chaussée. Durant quelques secondes horribles, elle put imaginer sa chute. Un terrible sentiment d'horreur s'empara d'elle.

Dominique se leva. Sans le support de Mathieu, elle se serait écroulée.

«*Tu as failli mourir, tu as failli mourir*», répétait une petite voix moqueuse dans son esprit.

— Mais qu'est-ce qui se passe ici ? demanda soudain une voix.

Une infirmière, l'air indignée, se dirigeait vers eux.

— Qu'est-ce que vous faites là tous les deux ? Mathieu, tu ne travailles pas ce soir. Et toi, Dominique, qu'est-ce que tu fais debout ?

Dominique était incapable de parler.

Mathieu expliqua rapidement ce qui s'était passé.

— Je suis revenu chercher mon chèque de paye, dit-il. Il n'était pas encore prêt cet après-midi. C'est à ce moment que j'ai aperçu Dominique s'apprêtant à entrer dans l'ascenseur qui ne fonctionne pas.

— Cet ascenseur devrait déjà être réparé, fit remarquer l'infirmière d'un ton exaspéré.

Elle prit le bras de Dominique.

— Occupe-toi de l'affiche, ordonna-t-elle brusquement à Mathieu. Je vais raccompagner la patiente à sa chambre.

Dominique retrouva la parole.

— Mathieu, dit-elle doucement tandis qu'il s'éloignait, merci.

— Oublie ça. Retourne dans ton lit. Et tu ferais peut-être mieux d'y rester, ajouta-t-il sévèrement.

Acquiesçant, Dominique se laissa guider vers sa chambre.

— Tu n'avais aucune raison d'être debout, la réprimanda l'infirmière lorsque Dominique fut dans son lit. Je vais prendre ta température immédiatement. Ensuite, on te donnera un somnifère pour que tu oublies cette mésaventure.

Oublier? Comment oublier qu'elle avait presque plongé vers une mort certaine?

Comment Louis avait-il pu commettre une telle erreur?

Elle se recroquevilla dans son lit, tremblant violemment, jusqu'au moment où le somnifère fit effet.

Elle allait sombrer dans un sommeil profond lorsque Mathieu entra et s'approcha de son lit.

— Ça va? demanda-t-il doucement en se penchant au-dessus d'elle.

— Si l'infirmière te trouve ici... commença-t-elle d'une voix somnolente.

— Elle t'a donné une piqûre? Une pilule? Je m'attendais à te trouver en pleine crise d'hystérie. Les médicaments font des miracles, ajouta-t-il en lui tapotant la tête. Dors bien, dit-il avant de sortir.

Lorsqu'elle se réveilla le dimanche matin, après une nuit de profond sommeil, une question surgit dans l'esprit de Dominique. Elle avait si hâte d'obtenir une réponse qu'elle demanda à l'infirmière qui apporta son déjeuner si Mathieu travaillait.

L'infirmière, jeune et jolie, sourit.

— Toi aussi? Toutes les patientes sont folles de Mathieu. Je ne crois pas que ce soit ton genre, mais...

— Ce n'est pas ça, protesta Dominique, ennuyée. J'ai besoin de lui demander quelque chose.

— Tu veux savoir s'il est libre samedi soir, c'est ça ?

Dominique foudroya l'infirmière du regard.

— Pourriez-vous l'appeler, s'il vous plaît ? Dites-lui que je dois le voir immédiatement.

L'infirmière souriait en quittant la chambre, mais elle dut faire le message, car Mathieu se précipita au chevet de Dominique cinq minutes plus tard.

— Tu as l'air mieux. Qu'est-ce qui se passe ?

— Mathieu, commença Dominique, à quelle heure exactement as-tu demandé à Louis de mettre l'affiche sur la porte de l'ascenseur ?

— Vers seize heures, répondit-il après quelques secondes de réflexion. Pourquoi ?

— Réfléchis, dit Dominique d'un ton impatient. Des dizaines de visiteurs sont venus à l'hôpital durant l'après-midi et la soirée. Si l'affiche indiquant que l'ascenseur était en panne n'était pas au bon endroit, comment expliquer que personne d'autre que moi n'ait failli tomber dans le vide ?

Mathieu s'assit sur le lit.

— Tu as raison. Ça n'a pas de sens.

— À moins… commença Dominique, que Louis ait vraiment mis l'affiche sur la porte de l'ascenseur en panne, mais que quelqu'un d'autre l'ait changée de place juste avant mon arrivée.

Mathieu parut sceptique.

— Pourquoi quelqu'un aurait-il fait ça ?

— Je n'en sais rien. Mais c'est sûrement ce qui s'est passé.

Mathieu réfléchit durant quelques instants.

— Je viens de penser à quelque chose. Avant-hier,

l'ascenseur numéro un était en panne. Il a été réparé immédiatement. Un employé qui est arrivé tard aujourd'hui n'a peut-être pas cru possible que l'ascenseur ait déjà été réparé ; il aura donc remis l'affiche sur la porte de l'ascenseur numéro un, ne sachant pas que l'ascenseur numéro deux était en panne à son tour.

— C'est une explication plausible. Peux-tu te renseigner auprès des employés ?

Mathieu acquiesça.

— Repose-toi bien aujourd'hui, d'accord ? Tu me sembles un peu nerveuse.

Heureuse que le mystère ait été résolu, Dominique le regarda s'éloigner. Il était plus mince que Louis. Toutefois, il était plus grand et Dominique aimait sa façon de marcher, désinvolte et dégagée, comme s'il n'avait peur de personne.

Christophe aussi avait cette démarche. Il ne craignait rien.

Elle, pourtant, se mettrait probablement à trembler violemment chaque fois qu'elle approcherait d'un ascenseur.

Frissonnante, Dominique ferma les yeux.

Chapitre 7

Amélie et Cynthia furent horrifiées d'apprendre ce qui était arrivé à Dominique. Elles se précipitèrent à son chevet dès qu'elles eurent un moment libre. Judith arriva presque en même temps qu'elles. Elle pâlit lorsqu'on lui raconta la mésaventure de Dominique.

— Oh ! Dominique ! dit-elle. Tu aurais pu... être tuée.

Son visage était aussi pâle que les draps. Ses yeux violets se remplirent de larmes.

— Que se serait-il passé si Mathieu n'avait pas été là ?

Elle se laissa tomber sur une chaise, secouée.

— Elle a raison, Dominique, approuva Amélie. Mathieu mérite ta reconnaissance.

Dominique frissonna.

— Je ne peux chasser ce trou noir de mes pensées.

Elle inspira profondément et changea de sujet.

— Cet après-midi, annonça-t-elle, je vais prendre une douche. C'est la seule chose qui m'aidera à me sentir mieux. Je la mérite bien, après ce qui est arrivé, non ?

— Tu n'as donc pas eu ta leçon ? demanda Cynthia

d'un ton rude. Vraiment, Dominique, tu es la patiente la plus entêtée du monde !

— Tu ne peux prendre une douche avec cette aiguille dans le bras, fit remarquer Amélie d'un ton hésitant.

— Docteur Morand m'a dit qu'on allait me l'enlever.

Cynthia haussa les épaules.

— Fais comme il te plaira, Dominique.

Une fois les trois filles parties, Louis arriva en transportant une jolie plante dans un pot de céramique en forme de cygne qu'il avait achetée à la boutique de cadeaux du rez-de-chaussée.

Après l'avoir remercié, Dominique lui demanda des explications au sujet de l'affiche « en panne ».

— L'as-tu mis sur la porte de l'ascenseur à seize heures, quand Mathieu te l'a demandé ?

— Bien sûr que je l'ai fait ! répondit-il d'un ton indigné. Qu'est-ce que t'a raconté Mathieu ?

— Ne sois pas si susceptible. As-tu mis l'affiche sur l'ascenseur numéro un ou sur le numéro deux ?

— Sur le numéro deux. C'est celui qui ne fonctionnait pas. Pourquoi me poses-tu tant de questions ?

— Personne ne t'a dit que j'ai failli tomber dans la cage de l'ascenseur en panne hier soir ?

— Je viens d'arriver. Je n'ai encore parlé à personne. Je suis allé à la boutique et je suis monté tout de suite pour te voir.

Dominique lui raconta sa mésaventure. Lorsqu'elle eut terminé, Louis s'assit, bouleversé.

— Tu es certaine que tu vas bien ? demanda-t-il.

L'inquiétude se lisait dans ses yeux bleus.

— Je vais bien.

Ce n'était pas vrai. Chaque fois qu'elle songeait à la cage vide de l'ascenseur, son coeur se mettait à battre à tout rompre et elle se sentait étourdie et à bout de souffle.

— Merci pour la plante, dit-elle à Louis. Tu ferais mieux d'aller travailler si tu ne veux pas être en retard.

Elle fut étonnée de le voir poser un léger baiser sur sa joue avant de sortir.

— Tu me parais un peu moins fiévreuse, dit-il en se redressant. On te laissera peut-être retourner chez toi bientôt.

— Le plus tôt sera le mieux. J'ai déjà décidé d'aller prendre une douche ce soir. Personne ne m'en empêchera.

— Bonne idée. Ça t'aidera à te rafraîchir. Repose-toi bien.

Après le départ de Louis, une infirmière entra pour prendre sa température.

— J'ai de bonnes nouvelles, annonça-t-elle.

— Ma température est normale et je peux m'habiller et rentrer chez moi, dit Dominique, une fausse note d'espoir dans la voix.

— Non, mais j'ai l'ordre de t'enlever ton soluté. Ton médecin préfère essayer de te donner des capsules d'antibiotiques plutôt que de te les administrer par voie intraveineuse.

Une fois l'aiguille retirée de son poignet, Dominique frotta doucement la marque bleuâtre qu'elle y avait laissée.

— Tiens, dit l'infirmière en agitant un gobelet de papier contenant des capsules. Prends-en deux maintenant.

— Quand vais-je sortir d'ici ? demanda Dominique après avoir avalé les capsules.

— C'est ton médecin qui décide. Je crois qu'il attend de voir si d'autres symptômes de la grippe se manifesteront. Jusqu'à maintenant, les analyses sanguines n'ont rien révélé.

Elle jeta un coup d'oeil à l'extérieur.

— Le docteur a même dit que tu pouvais aller dehors si tu le voulais. Un garçon de salle pourrait t'y emmener. En fauteuil roulant, bien entendu. Et ne te lève surtout pas. C'est trop tôt.

Lorsque l'infirmière fut sortie, Dominique jeta un coup d'oeil par la fenêtre. C'était une belle journée de printemps ensoleillée. Elle en avait assez d'être emprisonnée. Si quelqu'un pouvait l'emmener dehors...

Ses jambes étaient molles lorsqu'elle se leva. Mais puisqu'elle serait en fauteuil roulant, cela n'avait pas d'importance.

Le seul garçon de salle en vue dans le couloir était Mathieu. Il avançait vers elle en poussant un fauteuil roulant.

— Tu es supposé m'emmener dehors, dit Dominique.

Elle lui en voulait un peu de ne pas être revenu lui donner les résultats de son enquête concernant les employés qui auraient pu changer l'affiche de place.

— Pourquoi n'es-tu pas venu me dire qui a déplacé l'affiche indiquant que l'ascenseur était en panne ? siffla-t-elle en s'assoyant dans le fauteuil roulant. J'attends depuis des heures !

— Parce que je n'ai rien appris, répondit-il d'un ton aimable en commençant à pousser le fauteuil dans le couloir. Personne ne se rappelle avoir changé l'affiche de place. Ou peut-être le coupable a-t-il peur d'avouer la vérité, considérant ce qui a failli se passer. Désolé.

Soudain, elle se rendit compte qu'ils se dirigeaient vers l'ascenseur.

Elle se mit à trembler violemment.

— Hé ! dit Mathieu en se penchant vers elle. Ça va ?

— Non, murmura Dominique. Non, je ne peux pas entrer dans l'ascenseur. Ramène-moi à ma chambre.

— Écoute, dit-il patiemment. Tu veux aller dehors, n'est-ce pas ? Il faut descendre pour ça. Et la seule façon de descendre est de prendre l'ascenseur. Détends-toi ! Je vais garer ton fauteuil contre le mur et m'assurer que la cabine est là avant de t'y faire entrer, d'accord ?

— N'avance pas ce fauteuil d'un centimètre tant que tu ne seras pas certain que la cabine est là, ordonna-t-elle. Promis ?

— Promis. Essaie de te calmer. Sinon, ta température va monter de nouveau et tu ne sortiras jamais d'ici.

Lorsque les portes de l'ascenseur s'ouvrirent, la cabine était là. Mathieu fit rouler le fauteuil à l'intérieur et posa une main sur l'épaule de Dominique. Cela la réconforta tandis qu'ils descendaient.

— Je ne peux pas rester avec toi, dit Mathieu en la poussant une fois dehors. J'ai du travail. Mais je reviendrai dans une demi-heure. Je dois te rappeler de ne *pas* bouger de ce fauteuil. Ce sont les ordres du médecin. Alors, pas de course à pied, d'accord ?

— Je ne bougerai pas, c'est promis. C'est bon de respirer de l'air frais.

— Ça te fera probablement plus de bien que ces capsules que tu avales, approuva Mathieu.

Il actionna alors le frein du vieux fauteuil roulant en bois et s'éloigna en sifflant.

Dominique se détendit. Elle était assise en haut d'une pente abrupte tapissée d'une pelouse verte nouvellement poussée. D'autres patients étaient assis dans des fauteuils roulants, lisant ou bavardant. Loin devant elle, au bas de la pente, s'étendait le lac dont l'eau bleu argenté miroitait sous le soleil. Quelques enfants faisaient voguer des bateaux dans l'eau et deux employés plantaient des arbustes près de la rive.

Dominique se laissa glisser dans son fauteuil, s'efforçant de trouver une position qui lui permettrait d'offrir son visage aux rayons du soleil.

Un bruit derrière elle la fit sursauter. Comme elle tournait la tête pour voir ce que c'était, le fauteuil donna une secousse et se mit à rouler lentement.

Dominique se redressa. Le fauteuil ne devait pas rouler. Il devait être immobile !

Mais les roues continuaient à tourner et le fauteuil prenait de la vitesse.

— Hé ! cria une stagiaire qui étudiait en voyant le fauteuil se diriger vers elle. Hé ! arrêtez ce truc !

Dominique n'avait aucune idée de la façon d'immobiliser le fauteuil.

La stagiaire parvint à s'éloigner juste à temps. D'autres cris se joignirent aux siens alors que le fauteuil roulait de plus en plus vite en dévalant la pente. En atteignant la partie la plus inclinée de la pente, Dominique dut s'agripper de toutes ses forces aux bras de bois pour ne pas être propulsée hors du fauteuil. Si elle tombait maintenant, tous les os de son corps se briseraient.

Dominique constata qu'elle avait commis une erreur. Elle aurait dû se jeter en bas du fauteuil dès l'instant où celui-ci s'était mis à avancer. Elle n'aurait alors subi que de légères blessures.

Maintenant, il était trop tard. Ses mains cherchaient le frein, mais ne le trouvaient pas. De peur de se prendre les doigts dans les roues, Dominique agrippa de nouveau les bras du fauteuil.

— Aidez-moi, aidez-moi, marmonna-t-elle dans sa course folle.

Son coeur battait la chamade, ses jointures étaient blanches et ses lèvres remuaient frénétiquement tandis qu'elle tentait en vain d'appeler à l'aide.

Le lac, scintillant au soleil, l'attendait au bas de la pente. L'eau, à ce temps-ci de l'année, serait glaciale. Si le fauteuil tombait dans le lac, il coulerait à pic, tout comme elle. Même si quelqu'un la sauvait de la noyade, la température froide de l'eau aggraverait sa maladie. Cela pourrait même lui être fatal.

Des gens agitaient les bras et criaient sur son passage.

Personne n'était assez près pour l'atteindre.

Les deux employés levèrent les yeux, stupéfaits, et, sans laisser tomber leurs pelles, s'enlevèrent de la trajectoire du lourd fauteuil roulant de bois qui fonçait vers eux.

Complètement désespérée, Dominique gémit, impuissante, et ferma les yeux.

Chapitre 8

Tandis que le fauteuil, retenant Dominique prisonnière, poursuivait sa descente effrénée vers les eaux glacées du lac, Dominique perdit tout espoir. Elle allait tomber dans le lac… aucun moyen d'y échapper… si froid… ce serait si froid…

Les yeux fermés, ses lèvres récitant sans son des prières frénétiques, elle se recroquevilla contre le dossier du fauteuil et serra les dents.

Dominique ouvrit les yeux et fut immédiatement aveuglée par l'éclat de l'eau à seulement quelques centimètres de son fauteuil. Elle se dressa, penchée en avant, se préparant à plonger dès que le fauteuil quitterait le sol.

Elle faillit être projetée dans le lac lorsque le fauteuil fit une embardée avant de s'immobiliser brusquement à quelques centimètres de l'eau. Elle s'appuya contre le dossier, tentant de reprendre son souffle.

— Ça va ? murmura Louis dans son oreille. Ça va, Dominique ? Rien de cassé ?

Il s'agenouilla alors à côté d'elle, lui prit la main et l'observa d'un air inquiet.

Dominique était incapable de parler. Ses yeux, horrifiés, demeuraient fixés sur l'eau glacée du lac. Des larmes d'hystérie se mirent alors à couler le long de ses joues.

— Oh! murmura-t-elle. Oh!...

— Ce fauteuil pèse une tonne! s'exclama Louis tandis que des membres du personnel ainsi que des patients se rassemblaient autour de Dominique. Pas étonnant que tu n'aies pu l'arrêter toi-même. Durant un instant, j'ai cru que je n'y arriverais pas non plus.

Louis lui avait sauvé la vie. Si seulement elle pouvait cesser de trembler et de pleurer assez longtemps pour le remercier.

— Merci, murmura-t-elle. Merci, Louis.

Puis, elle enfouit son visage dans ses mains, tremblant des pieds à la tête.

Les spectateurs, mal à l'aise de ne pouvoir la réconforter, parlaient entre eux à voix basse.

— Elle a besoin d'un médecin, dit soudain l'un d'eux en remontant la colline.

Mathieu Langevin et Amélie Sénécal arrivèrent sur les lieux en courant.

— Qu'est-ce qui se passe? demanda Mathieu d'un ton furieux. Je croyais t'avoir dit de rester là où tu étais, dit-il à Dominique d'un ton accusateur.

Puis, il constata à quel point elle était bouleversée.

— Qu'est-il arrivé? demanda-t-il à Louis. Comment est-elle descendue?

— Calme-toi, Mathieu, répondit Louis en posant ses mains sur le dossier du fauteuil d'un air protecteur. Dominique a passé un dur moment. As-tu vérifié le frein avant de la laisser seule?

Mathieu rougit de colère.

— Bien sûr que je l'ai fait. Je l'ai vérifié deux fois. Qu'est-ce qui s'est passé ? demanda-t-il de nouveau en haussant le ton.

— Le fauteuil s'est mis à rouler... commença Dominique d'une voix faible. Si Louis n'avait pas été là, je serais...

Elle se remit à pleurer.

— Je serais dans le lac.

Sa voix se brisa.

— Mon Dieu ! j'étais si près...

Mathieu semblait abasourdi.

— Il s'est mis à rouler ?

— Oui, dit Louis. Il a descendu toute la pente. Dominique y était toujours assise.

— Louis m'a sauvé la vie, dit doucement Dominique. Puis-je retourner dans ma chambre, maintenant ?

— Tu... tu as descendu cette pente dans le fauteuil roulant ? demanda Mathieu.

— Oui, elle l'a fait, répondit Louis, et je crois qu'elle devrait subir un examen tout de suite. Dispersez-vous, s'il vous plaît, afin que je puisse la reconduire à sa chambre.

— Dominique, commença Mathieu calmement en la regardant d'un air coupable, j'étais certain d'avoir vérifié le frein. Je suis désolé.

— Ce n'est pas ta faute, Mathieu, dit un autre garçon de salle. Ces freins ne sont pas très efficaces. Les fauteuils sont vieux.

Mais Mathieu semblait inconsolable.

Dominique aurait voulu lui dire de tout oublier, mais comment pouvait-elle le faire ? Elle savait qu'*elle* n'oublierait jamais. Jamais.

Le médecin de Dominique ne décela aucune blessure, mais l'expression de l'infirmière qui prit sa température ne révélait rien de bon.

— Tiens, dit-elle à Dominique en lui tendant deux capsules. Avale ça et essaie de te reposer. Je reviendrai tout à l'heure.

Amélie et Cynthia demeurèrent avec Dominique jusqu'à l'arrivée de ses parents et de Judith.

— Dominique, murmura Amélie en écarquillant les yeux d'horreur, tu as dû être terrifiée ! Heureusement que Louis était là !

— Amélie, dit Dominique d'une voix tremblante, je ne suis pas en sécurité ici. Je dois rentrer immédiatement avant que quelque chose de terrible ne m'arrive. Dis à mon médecin qu'il est crucial que je sorte d'ici avant la nuit. Je t'en prie !

— Dominique, dit Cynthia, je sais que ce que tu as vécu est épouvantable, mais ça n'a rien à voir avec le fait que tu te trouves dans un hôpital. Tu étais au mauvais endroit au mauvais moment. Cela aurait pu arriver à n'importe qui.

Dominique fut prise de nausées.

— Mais c'est à *moi* que c'est arrivé.

Elle commençait à avoir mal à la tête.

— Et je me rappelle avoir entendu un bruit étrange derrière moi... juste avant que le fauteuil ne s'ébranle. J'avais oublié, mais ça me revient... Ce bruit...

— Quel genre de bruit? demanda Amélie en se penchant en avant.

Dominique avait sommeil. Elle avait du mal à garder les yeux ouverts.

— Je ne suis pas certaine... C'était comme si

quelqu'un marchait sur la pointe des pieds derrière moi. Puis, il y a eu un craquement, comme lorsque le frein de ces vieux fauteuils est mis en place ou... *desserré*.

Dominique ouvrit grands les yeux.

— Amélie ! C'est ça que j'ai entendu ! Le frein de mon fauteuil a été desserré !

Amélie et Cynthia échangèrent un regard.

— Dominique, dit Cynthia d'un ton patient, c'est ridicule. Je sais que tu es bouleversée, mais tu commences vraiment à être paranoïaque. Si quelqu'un avait fait ça, les gens qui se trouvaient près de toi s'en seraient aperçus.

Dominique avait de nouveau la nausée.

— Peut-être que non. Je me trouvais en haut de la pente. Seule. Tous les autres étaient plus bas. Quelqu'un aurait pu desserrer le frein et s'enfuir sans que personne ne le voie.

— Dominique ! s'exclama Amélie, horrifiée. C'est complètement fou ! Pourquoi quelqu'un poserait-il un geste si affreux ?

— C'est absurde, approuva Cynthia. C'est la fièvre qui te fait dire de telles stupidités. Tu dois cesser de détester l'hôpital, Dominique. Cela t'empêche de guérir. Essaie de te détendre et d'oublier cet accident.

Dominique sentit des larmes de frustration lui piquer les yeux. Pourquoi étaient-ils tous certains que sa descente en fauteuil roulant n'était qu'un accident ? Comment *pouvaient*-ils en être si sûrs ?

Elle ne l'était pas.

Ses parents arrivèrent à cet instant. Elle s'aperçut en voyant l'expression de sa mère qu'ils savaient ce qui s'était passé. Peut-être allaient-ils la ramener à la maison.

— Nous reviendrons plus tard, dit Amélie en faisant signe à Cynthia de se lever. Tu verras, ça ira mieux tout à l'heure.

Bien que ses parents aient été secoués par la mésaventure de Dominique, ils n'avaient pas l'intention de ramener leur fille avec eux. Leur confiance en l'hôpital et en docteur Morand était inébranlable.

— Chérie, tu dois te calmer, lui dit sa mère.

— C'était un malheureux accident, renchérit son père. Tu ne réagirais pas de cette façon si tu n'étais pas si malade.

Lorsqu'ils furent partis, Dominique attendit l'arrivée de Judith en tentant de se persuader que ses parents avaient raison. C'était un accident.

Pourtant, elle se rappela avoir entendu, au sommet de la colline, un bruit de pas qui s'approchaient derrière elle et le craquement d'un frein qu'on desserre.

Un accident ?

Comment pouvait-elle en être certaine ?

Elle n'était plus certaine de rien maintenant.

Chapitre 9

Christophe manquait beaucoup à Dominique. Où se trouvait-il maintenant ? C'est à ses côtés qu'il aurait dû être. Elle avait besoin de lui. Elle avait toujours pu compter sur lui auparavant. N'aurait-il pas pu supporter son oncle une semaine de plus ?

Honteuse d'avoir des pensées si égoïstes, Dominique fut soudain prise de nausées. De plus, elle avait maintenant mal à la tête. L'apparition de ces nouveaux symptômes indiquaient peut-être que la grippe allait maintenant la frapper de plein fouet.

En s'efforçant de s'asseoir dans son lit, elle remarqua quelque chose d'étrange au plafond. Un halo semblait entourer la lumière. Les lumières fluorescentes étaient-elles toutes comme ça ou était-ce un autre symptôme de la grippe d'avoir des troubles de la vision ?

Elle se sentait beaucoup plus malade qu'à son arrivée à l'hôpital et en fit part à l'infirmière qui lui apporta son repas.

— C'est une mauvaise journée, c'est tout, dit l'infirmière. Tu devrais plutôt te réjouir d'avoir survécu à cette descente folle en fauteuil roulant. C'est un miracle que tu n'aies pas subi la moindre égratignure.

— Ouais, fit Dominique. Puisque vous admettez que j'ai eu une dure journée, demanda-t-elle timidement, pourquoi ne pas me laisser prendre une douche avant les heures de visite ?

— Il n'en est pas question ! Quelqu'un devrait y aller avec toi et nous n'avons pas le temps.

Dominique grogna.

— Je déteste cet hôpital !

Amélie et Cynthia s'arrêtèrent durant quelques minutes après le souper. Cynthia avait l'air épuisée et Dominique lui en fit la remarque.

— Oui, je le suis, admit Cynthia. Je m'endors le soir alors que je devrais étudier. Mais puisqu'il n'y a pas de cours demain — c'est une journée pédagogique —, j'ai décidé de travailler aujourd'hui. Il y a beaucoup à faire ici.

— Je sais, dit Dominique d'un ton triste. On refuse de me laisser prendre une douche parce que personne n'a le temps de m'y accompagner. Je crois que je vais y aller quand même.

Amélie lui jeta un regard réprobateur.

— Dominique, pourquoi ne pas faire ce qu'on te dit, pour une fois ?

Amélie se tourna ensuite vers Cynthia.

— Tu travailles trop, lui dit-elle doucement. Tu devrais te trouver un petit ami qui t'emmènerait danser ou au cinéma.

— Je n'ai pas le temps d'avoir un petit ami, rétorqua Cynthia.

— Moi, j'aurais le temps, dit Amélie en faisant la moue.

Durant un bref instant, la tristesse se lut sur son visage.

— J'avais cru que Louis et moi…

Son visage s'éclaira brusquement et elle retrouva son expression joyeuse.

— Oh ! et puis tant pis !

Dominique fut étonnée de la réaction d'Amélie. Louis avait raconté à tout le monde qu'Amélie et lui avaient décidé ensemble de rompre. Pourtant, Amélie ne semblait pas très heureuse de cette rupture.

Après le départ de ses amies, Dominique décida d'aller prendre une douche.

« Je n'ai pas besoin d'aide, pensa Dominique. Je prends ma douche seule depuis des années. »

La pièce se mit à tourner lorsqu'elle se leva. Dominique voyait double et ses genoux ne semblaient pas prêts à la supporter. Elle eut un haut-le-coeur. Ça n'allait pas être facile.

Chancelante, elle parvint à mettre ses pantoufles et à enfiler son peignoir. La chambre tournait toujours autour d'elle, mais Dominique demeura debout.

— Super ! murmura-t-elle en saisissant son shampoing, son rasoir, son savon, une débarbouillette et une serviette.

Puis, d'un pas prudent, elle se dirigea vers la porte et jeta un coup d'oeil dans le couloir.

C'était une heure tranquille où les patients faisaient souvent la sieste avant l'arrivée des visiteurs. Quant aux infirmières, elles prenaient leur repas ou distribuaient les médicaments aux malades.

Dominique décida de courir le risque et atteignit la salle des douches à l'extrémité du couloir. La première porte était verrouillée, mais la poignée de la deuxième tourna. Poussant un profond soupir de soulagement, Dominique y entra et alluma la lumière, verrouillant la porte de la petite cabine derrière elle.

Elle remarqua que cette lumière était également entourée d'un étrange halo. Elle avait toujours mal à la tête et était nauséeuse. Mais elle se sentirait sûrement mieux après avoir pris une douche.

La douche fut divine, comme un verre d'eau après une longue marche dans le désert. Ses muscles raides semblèrent se détendre sous le jet d'eau merveilleusement chaude. Dominique se sentait même assez bien pour fredonner tandis qu'elle se savonnait, puis se rinçait.

Elle venait tout juste d'envelopper ses cheveux propres dans sa serviette et commençait à se raser les jambes lorsqu'un courant d'air froid lui balaya les épaules. Elle s'arrêta, levant la tête pour écouter. La porte s'était-elle ouverte ? Non, c'était impossible. Dominique se rappelait très bien l'avoir verrouillée.

Lorsqu'elle se redressa, elle entendit le clic de l'interrupteur et la cabine fut plongée dans le noir.

Dominique se trouvait debout, trempée, dans l'obscurité la plus complète.

Chapitre 10

Dominique crut d'abord qu'il s'agissait d'une panne d'électricité.

Mais... cela n'expliquait pas pourquoi la porte s'était ouverte, laissant entrer un courant d'air froid... ni le bruit de l'interrupteur que l'on fermait.

Comment la porte avait-elle pu s'ouvrir ? Dominique n'avait pas entendu de bruit de clé dans la serrure.

Cependant, l'eau qui coulait aurait pu étouffer le bruit de clé.

Quelqu'un se trouvait-il dans la cabine ?

Commençant à trembler, Dominique prêta l'oreille, retenant son souffle. Elle n'entendit rien. Pas un son.

Elle s'empara de son peignoir et l'enfila. Puis, impatiente de sortir de la cabine obscure, elle se retourna pour récupérer ses affaires sur le carrelage.

Soudain, le loquet de la porte céda derrière elle. Dominique fut immédiatement saisie par derrière et projetée face contre terre sur le sol de la douche où plusieurs centimètres d'eau s'étaient accumulés en raison d'un système d'écoulement déficient.

De l'eau tiède et savonneuse lui emplit la bouche et le nez. Elle s'étouffa, eut un haut-le-coeur, cracha et tenta de se redresser. Toutefois, un genou dans son dos la maintenait au sol.

Qu'est... qu'est-ce qui se passait?

Elle était trop grande pour l'espace restreint et ses jambes étaient cruellement repliées. Un poing appuyait fortement sur sa nuque. Elle était totalement impuissante, la bouche et le nez submergés, incapable de bouger, de crier... d'émettre un son pour appeler à l'aide.

«Je ne peux pas respirer. Je vais me noyer dans cette petite mare d'eau si je ne fais rien... Mais que faire? Que puis-je faire?»

Puis, elle se rendit compte qu'elle tenait toujours son rasoir dans sa main. Elle avait bien peur que ce petit instrument en plastique rose ne puisse faire grand mal à son agresseur. Il avait justement été conçu pour éviter les blessures.

C'était pourtant tout ce qu'elle avait.

Désespérée, elle frappa son attaquant.

Un cri de douleur retentit dans la cabine... L'agresseur marmonna un juron et lâcha prise. Des gouttes de sang rouge vif tombèrent dans l'eau savonneuse.

Le petit rasoir rose était venu à sa rescousse.

Dominique était toujours couchée sur le sol. Son assaillant serait-il encore plus furieux maintenant?

Elle attendit... retenant son souffle... son coeur battant à tout rompre dans sa poitrine.

En jurant de nouveau, la personne qui la maintenait au sol se leva. Un courant d'air envahit la cabine lorsque la porte s'ouvrit.

Puis, Dominique entendit, soulagée, la porte en bois de la pièce s'ouvrir et se refermer brusquement.

Elle était de nouveau seule.

Mais quelqu'un était très très en colère contre elle.

Dominique était étendue sur le sol de la cabine et sanglotait. Elle réussit à se relever et, une fois debout, elle dut s'appuyer contre le mur.

Son peignoir était trempé. La serviette qui entourait ses cheveux s'était déplacée et des mèches de cheveux mouillés et froids lui collaient dans la nuque.

Dominique se mit à trembler violemment.

Il faisait si noir...

Inspirant profondément, elle ouvrit la porte vitrée de la douche et regarda autour d'elle, cherchant dans le noir tout signe de menace.

Et si son agresseur n'était pas vraiment parti? Il avait peut-être fermé la porte pour faire croire à Dominique qu'il était parti. Il se cachait peut-être dans le noir, l'attendant...

Paralysée par la peur, Dominique prêta l'oreille.

La petite pièce était complètement silencieuse.

Enfin certaine d'être seule, Dominique sortit de la cabine, chancelante et étourdie, et se dirigea vers la porte.

Si seulement elle pouvait marcher jusque-là, ouvrir la porte et sortir dans le couloir, elle s'en tirerait. Elle arrêterait de trembler et quelqu'un viendrait l'aider. Elle serait en sécurité de nouveau.

Mais, dès l'instant où elle se retrouva dans le couloir, elle fut aveuglée par l'étrange halo qui entourait les lumières baissées. Se couvrant les yeux avec ses mains, elle s'appuya contre le mur. Toute l'horreur de ce qui venait de se passer la submergea alors.

Cette fois, il n'était pas question d'accident.

Quelqu'un voulait sa mort. Elle ne savait pas qui ni pourquoi, mais quelqu'un avait tenté de la tuer.

Et y était presque parvenu.

Chapitre 11

Il n'y avait personne à l'extrémité du couloir où se trouvait Dominique, mais celle-ci pouvait voir des uniformes blancs qui allaient et venaient rapidement au loin.

— Au secours, murmura-t-elle en tremblant violemment. Je vous en prie, quelqu'un, aidez-moi.

Personne ne l'entendit ni ne remarqua sa présence.

Elle haussa le ton.

— Aidez-moi !

Puis, l'hystérie s'empara d'elle. Dominique ouvrit la bouche et cria.

— Au secours ! Au secours !

Elle avança en titubant dans le couloir, appuyant ses mains contre le mur.

Enfin, les silhouettes blanches au loin s'immobilisèrent et la regardèrent.

Son peignoir trempé était ouvert, ses cheveux mouillés lui collaient au visage et ses pieds glissaient sur le carreau froid.

— Aidez-moi ! sanglota-t-elle.

À l'autre bout du couloir, Mathieu Langevin se mit à courir.

Lorsqu'il fut près d'elle, Dominique se laissa tomber contre lui, haletant et tremblant violemment.

— Au secours, murmura-t-elle, je vous en prie.

Puis, elle s'abandonna et ferma les yeux.

Lorsque Dominique se réveilla, elle était couchée dans son lit, couverte d'un drap. Elle était entourée de deux infirmières, de Mathieu Langevin, du docteur Morand et d'Amélie Sénécal. Mathieu et Amélie avaient l'air inquiets. Le médecin regardait sa patiente, les sourcils froncés.

Dominique mit un moment à comprendre pourquoi ils la fixaient tous comme ça. Puis, elle se souvint de la scène de la douche.

— Non, non, non... commença-t-elle à marmonner doucement.

Mathieu fut le premier à parler.

— Quoi, Dominique ? Que s'est-il passé ?

Elle ferma les yeux.

— Quelqu'un... a essayé de me tuer, murmura-t-elle. Dans la douche...

Lorsqu'elle ouvrit les yeux, ce qu'elle vit la choqua. L'incrédulité se lisait sur tous les visages penchés sur elle.

Les deux infirmières échangèrent un regard, tandis que Mathieu et Amélie semblaient sceptiques. Quant au médecin, il observait sa patiente d'un air détaché.

— L'examen est normal, mis à part la présence de vilaines bosses dans le dos et dans le cou. Tu as fait une mauvaise chute, n'est-ce pas ?

— Je... non, je ne suis pas tombée, parvint-elle à dire. Quelqu'un... J'ai été attaquée. Dans la douche...

— Attaquée ? Dans la douche ? répéta l'infirmière la plus âgée d'un ton incrédule.

Dominique serra les dents. Elle n'avait pas prévu qu'on ne la croirait pas. Pas cette fois.

— Je sais que ça semble impossible, mais c'est la vérité ! Je prenais une douche lorsque quelqu'un est entré, m'a projetée au sol, et s'est assis sur mon dos... Il y avait de l'eau dans la douche et j'ai failli me noyer...

Elle s'arrêta. Elle n'avait jamais été confrontée à tant d'incrédulité dans sa vie.

Cela la terrifiait. Si elle n'arrivait pas à convaincre qui que ce soit qu'elle disait la vérité, qui l'aiderait ?

— Vous devez me croire !

Dominique tenta de s'asseoir dans son lit, mais elle était trop faible et nauséeuse.

— Je vous en prie, croyez-moi. Je n'inventerais pas une telle histoire.

Ses yeux se tournèrent vers Amélie.

— Amélie, tu me crois, n'est-ce pas ?

Celle-ci rougit et recula d'un pas.

— Bien sûr que tu n'inventerais pas une telle histoire, chérie, dit l'une des infirmières doucement. C'est à cause de la fièvre.

— Je n'ai rien *imaginé* ! cria Dominique. J'étais dans la douche, et la porte s'est ouverte, puis la lumière s'est éteinte...

Des larmes de frustration se mirent à couler sur son visage.

— N'avais-tu pas verrouillé la porte ? demanda doucement l'infirmière à la queue de cheval.

— Bien sûr que je l'avais verrouillée ! protesta Dominique. Je me *rappelle* l'avoir fait.

— Alors, comment quelqu'un a-t-il pu entrer ? dit l'infirmière plus âgée. Je ne connais personne qui passe à travers les murs.

— Ne me parlez pas comme si j'avais deux ans, dit Dominique d'un ton furieux. J'ai verrouillé cette stupide porte et quelqu'un est entré. Cette personne devait avoir une clé.

— Attendez un instant, dit la jeune infirmière.

Puis, elle disparut et revint presque immédiatement avec un trousseau de clés.

— Tu vois, Dominique ? C'est la seule clé qui ouvre la porte des douches et elle était accrochée exactement à sa place. Alors...

— Alors, rien ! dit brusquement Dominique en essuyant ses larmes du revers de la main. Quelqu'un a dû s'en emparer, l'utiliser et la remettre à sa place. Laissez-moi voir. De quelle clé s'agit-il ?

L'infirmière désigna une clé.

À cet instant, le docteur Morand fut appelé à l'urgence. Il salua Dominique et sortit.

Dominique continua à étudier la clé qui pendait à une courroie de cuir.

— Regardez, dit-elle, il y a une tache sur la courroie. C'est probablement du sang. J'ai donné un coup de rasoir à mon agresseur et je sais que je l'ai blessé car j'ai vu du sang dans l'eau. Vous voyez ?

Mathieu et la jeune infirmière examinèrent la tache.

— Dominique, je ne crois pas qu'il s'agisse d'une tache récente, s'exclama l'infirmière. Je suis certaine de l'avoir déjà remarquée auparavant. Je crois que c'est de la peinture.

Dominique s'aperçut que c'était sans espoir. Les infirmières croyaient fermement qu'elle avait eu des hallucinations. Amélie la regardait d'un air sympathique et Mathieu se mordillait la lèvre inférieure d'un air songeur.

Aucun d'entre eux ne croyait que l'attaque avait bel et bien eut lieu.

Dominique sursauta lorsqu'une aiguille s'enfonça brusquement dans son bras.

— Le docteur t'a prescrit un sédatif, dit l'infirmière plus âgée. Ça t'aidera à te calmer. Tu as vraiment laissé ton imagination prendre le dessus, n'est-ce pas ? Ce n'est pas prudent, Dominique. Pas dans ton état.

Furieuse, Dominique se retourna et se réfugia sous les couvertures avant que quiconque n'ait pu apercevoir les larmes de frayeur qui coulaient sur ses joues.

Chapitre 12

Dominique flottait quelque part entre le sommeil et la réalité lorsqu'elle entendit la voix de son père.

— Écoutez, si ma fille dit qu'elle a été attaquée dans la douche, c'est la vérité, disait-il d'un ton furieux.

Il devait se trouver dans le couloir.

— Ma fille ne raconte pas de mensonges.

— Personne n'a parlé de mensonges, monsieur Nantel, répondit le docteur Morand. Selon nous, votre fille a fait une vilaine chute et a eu des hallucinations à cause de la bosse sur sa tête et de sa maladie. Ce n'est pas du tout rare.

Une troisième voix se joignit à la conversation. L'infirmière aux cheveux gris…

— Bien entendu, nous avons fait vérifier la serrure de la salle des douches. Rien ne démontre qu'elle a été forcée.

Dominique tenta de s'asseoir et d'appeler son père, mais elle perdit l'équilibre et retomba sur le côté.

— Nous voulons la voir, dit la voix de sa mère.

— Je suis navré, répondit le docteur Morand, mais je préférerais que vous n'entriez pas. Je lui ai donné un sédatif. Laissez-la dormir. Puisque c'est congé demain, nous avons ajouté des visites le matin. Vous pourrez venir la voir.

Quoi ? Pas de visites ce soir ? C'était injuste…

Dominique sombra alors dans un profond sommeil.

Plus tard, lorsqu'elle se réveilla, seule la veilleuse près de la porte éclairait sa chambre. Dominique détestait l'obscurité. Elle ne se sentirait plus jamais en sécurité dans le noir.

Le coeur de Dominique battait à tout rompre et sa peau, sèche et parcheminée, était brûlante de fièvre.

« Je suis *vraiment* malade », pensa Dominique.

« Mais malade au point d'avoir imaginé cette attaque ? »

L'infirmière avait-elle raison ?

Non, elle était certaine que quelqu'un voulait la tuer. Elle n'aurait pas pu imaginer la terrible scène de la douche.

Pourtant, personne ne l'avait crue. Ils étaient tous tellement certains que sa vie n'avait pas été vraiment menacée. Comment pouvaient-ils *tous* se tromper ? Comment pouvait-elle être la seule à avoir raison ?

La tête de Mathieu apparut dans l'embrasure de la porte.

— Je vois que tu es réveillée, dit-il en s'approchant du lit. Ça va mieux ?

Mathieu voulait être médecin. Quelqu'un lui avait dit qu'il lisait beaucoup de manuels de médecine. Peut-être pourrait-il répondre à sa question.

— Mathieu, commença-t-elle, est-ce qu'une personne peut imaginer des choses seulement à cause de la fièvre ? Ce qui m'est arrivé semblait si réel. La lumière qui s'est éteinte, la porte de la douche qui s'est ouverte, la sensation d'être projetée et maintenue au sol par un genou dans mon dos… Je sais que j'ai des ecchymoses pour le prouver. Je les sens.

Mathieu s'assit sur le lit.

— Soyons logiques, dit-il. As-tu rendu quelqu'un furieux au point qu'il veuille te faire disparaître de la surface de la terre ?

— Non, bien sûr que non !

— Donc, si personne ne cherche à se débarrasser de toi, je crois que oui, une forte fièvre *peut* parfois faire imaginer des choses.

Ce n'était pas la réponse que Dominique souhaitait entendre.

— Mais mes ecchymoses… protesta-t-elle.

Mathieu haussa les épaules.

— Le docteur Morand a probablement raison. Tu as dû tomber.

Il ne croyait pas que l'attaque dont elle avait été victime était réelle.

— Écoute, si ça peut te rassurer, je vais monter la garde devant ta porte cette nuit. Je ne travaille pas demain, alors je peux me coucher tard. Je vais m'installer sur une chaise et lire, d'accord ?

— Je ne t'ai rien demandé, dit Dominique d'un ton hautain en lui tournant le dos. Puisque tu es si certain que c'est mon petit esprit fiévreux qui fait des siennes, je ne vois pas pourquoi tu penses que j'ai besoin de protection. Va-t'en, je t'en prie.

— Allez, Dominique, dit Mathieu d'un ton exaspéré, tu m'as posé une question ! Je t'ai répondu.

— Va-t'en, répéta-t-elle.

En poussant un long soupir, il se leva, résigné, et sortit.

Dominique avait mal au coeur. Elle repensa à ce que Mathieu et les autres avaient dit. Elle aurait voulu croire leur explication et l'accepter. Ne se serait-elle pas sentie mieux si cette horrible histoire n'avait pas été réelle ?

S'ils avaient raison, elle devait essayer de se détendre et de dormir. Le lendemain arriverait plus vite et une autre misérable nuit dans cet affreux hôpital serait derrière elle.

Elle allait s'endormir lorsqu'elle entendit des voix dans le couloir vis-à-vis la porte de sa chambre, qui était légèrement entrouverte.

— Je ne sais pas, docteur. Je ne l'ai pas vu.

Dominique reconnut la voix. C'était celle de la jeune infirmière à la queue de cheval.

— J'allais rentrer chez moi, docteur, mais si vous voulez que je le cherche, je resterai.

— Restez, dit une voix grave que Dominique ne connaissait pas. Je me moque que ça prenne toute la nuit, je veux que l'on retrouve ce flacon. Entre-temps, si l'un des patients se plaint de nausées, d'étourdissements ou s'il mentionne avoir des troubles de la vision — par exemple, si les lumières lui paraissent étranges —, soyez vigilante. Cela pourrait signifier que nous avons trouvé la digoxine qui manque.

La voix se fit plus grave et brusque.

— Vous feriez mieux de prier pour que ce médicament n'ait pas été administré par erreur au mauvais patient, car je vous en tiendrai responsable.

Dominique, qui écoutait avec attention, entendit la

réponse de la jeune infirmière, qui semblait au bord des larmes.

— Oui, docteur. Je vais commencer à chercher immédiatement. Je vous avertirai lorsque je l'aurai trouvé.

Il n'y eut pas d'autre réplique, mais seulement un bruit de pas furieux qui s'éloignaient rapidement.

Dominique était immobile dans son lit, fixant le plafond. Des nausées ? Des étourdissements ? Des lumières qui paraissent étranges ?

Cela correspondait exactement à *ses* symptômes.

Chapitre 13

Dominique se pelotonna sous les couvertures. De la digoxine ? Ce n'était pas le nom de ses antibiotiques, qui se terminait par « myocine ». Le médecin dans le couloir avait décrit à la perfection les symptômes qu'elle ressentait. Il avait dit qu'il manquait un médicament… qu'il ne se trouvait pas là où il aurait dû être.

C'était inquiétant.

Dominique se mordilla la lèvre inférieure. Même si ce médicament avait été perdu, comment cela pouvait-il avoir un lien avec elle ? On ne lui avait rien donné de nouveau ou de bizarre. Seulement les capsules.

Les capsules… Quelqu'un pourrait-il les avoir confondues avec le médicament qui manquait et lui avoir administré la digoxine ? Les capsules de digoxine ressemblaient-elles aux antibiotiques qu'elle prenait ?

Tout le monde pouvait se tromper. Même dans un hôpital. Après tout, elle savait maintenant qu'un médicament avait été égaré.

Mais… si… si ce n'était pas une erreur ? Donnée au mauvais patient, la digoxine pouvait-elle entraîner la *mort* ?

Si quelqu'un essayait de la tuer, n'aurait-ce pas été le moyen idéal ?

Dominique saisit la sonnette et la pressa, ne la relâchant qu'au moment où elle entendit des pas qui s'approchaient de sa chambre.

Amélie Sénécal, l'air inquiète, pénétra dans la pièce.

— Qu'est-ce qu'il y a, Dominique ?

— Qu'est-ce que tu fais encore ici ? demanda Dominique, étonnée. Il est passé minuit.

— Deux des infirmières ont la grippe et aucun des bénévoles ne voulait rester pour la nuit. Alors j'ai accepté de donner un coup de main.

Amélie soupira bruyamment.

— Cynthia, Mathieu et Louis travaillent tous la nuit à l'occasion. Je ne sais pas comment ils font. Je suis épuisée ! Nous avons déjà eu deux cas urgents. Au moins, je pourrai dormir demain.

— Amélie, demanda Dominique, as-tu entendu parler de ce médicament égaré ? J'ai entendu un médecin et une infirmière discuter...

— Oh ! Dominique, les patients ne sont pas supposés être au courant. Comme si nous n'avions pas déjà suffisamment de problèmes comme ça, le docteur Brochu a mis tout le monde à la recherche d'un flacon de digoxine. Il est vraiment contrarié que nous n'arrivions pas à mettre la main dessus.

— À quoi sert la digoxine ?

— On l'administre aux patients ayant des troubles cardiaques.

— À quoi ressemble ce médicament ?

— Ce sont des capsules. Je crois que le flacon

qu'on recherche se trouvait dans la chambre de monsieur Lanthier et maintenant, il n'y est plus.

— Qui est monsieur Lanthier ?

— Un patient. Il est décédé. Dominique, est-ce la raison pour laquelle tu m'as appelée ? Nous avons énormément de travail.

Amélie se tourna pour partir, mais Dominique l'arrêta.

— Attends, Amélie ! J'ai entendu le médecin décrire les effets secondaires de ce médicament. Je les ai *tous*.

Le scepticisme se lisait sur le visage d'Amélie.

— C'est vrai, insista Dominique. Vraiment. Ils sont apparus quand l'infirmière m'a donné les premières capsules après m'avoir retiré mon soluté. J'ai des nausées, des étourdissements et je l'ai entendu dire quelque chose à propos des lumières qui paraissent étranges. Quand je regarde les lumières, je vois des petits halos bizarres autour. Ils n'étaient pas là auparavant.

— Dominique... dit Amélie d'une voix lasse, c'est impossible que tes médicaments aient été confondus avec la digoxine.

— Mais tu n'en es pas certaine, n'est-ce pas ? Je voudrais que tu fasses vérifier mes médicaments. Assure-toi qu'on ne me donne pas ce médicament pour le coeur par erreur, d'accord ?

Dominique savait qu'elle avait l'air paranoïaque, mais c'était plus fort qu'elle. Il fallait qu'Amélie se rende compte à quel point c'était important.

Au grand étonnement de Dominique, la lassitude dans la voix d'Amélie fit place au mécontentement.

— Dominique, vraiment, j'aimerais que tu cesses de t'en faire. Les infirmières manipulent les médicaments avec beaucoup de soin.

— Elles ont pourtant égaré un flacon de digoxine, n'est-ce pas?

Amélie haussa les épaules.

— On le retrouvera. Il doit bien se trouver quelque part.

La voix de Dominique monta sous l'effet de la panique.

— Mais tu ne sais pas si ce médicament n'est pas administré au mauvais patient par erreur! Je te dis que j'ai tous les symptômes que le médecin a décrits et je veux que tu vérifies le médicament que je prends afin d'être certaine que je n'avale pas de la digoxine.

À court d'arguments, elle durcit le ton.

— Tu ne voudrais pas que mes parents poursuivent cet hôpital parce que tu n'as pas fait ton travail, n'est-ce pas?

Le visage d'Amélie se décomposa et, pour la première fois depuis que Dominique la connaissait, Amélie perdit son sang-froid.

— Tu es détestable, Dominique Nantel! murmura-t-elle d'une voix furieuse. Les gens en ont assez de t'entendre faire un tas d'histoires! Pourquoi ne dors-tu pas comme les autres patients? Tu guérirais plus vite. Tu pourrais alors rentrer chez toi et nous en serions tous ravis!

Amélie monta le ton tandis que Dominique, bouche bée, la fixait avec stupéfaction.

— J'en ai plein le dos d'être gentille avec toi quand tu te moques complètement de *mes* sentiments! Je ne sais pas ce que Louis voit en toi ni pourquoi il me laisserait tomber pour toi…

Sa voix se brisa et, au bord des larmes, elle tourna les talons et se précipita hors de la chambre.

Dominique eut un haut-le-coeur. Se sentant seule et abandonnée, elle enfouit la tête dans son oreiller en gémissant.

Si Amélie — la douce Amélie qui écoutait toujours — ne la croyait pas, personne ne la croirait. Personne.

Elle était toute seule.

Si c'était de la digoxine qui se trouvait dans les capsules depuis le début, Dominique en avait déjà pris plusieurs doses.

Quelle quantité de ce médicament pouvait être fatale à un patient ?

Si personne n'acceptait de vérifier ses capsules, elle n'en avalerait plus aucune. Elle se moquait que les infirmières se mettent en colère.

Il lui fallait trouver un moyen de prouver qu'on lui administrait de la digoxine et ce, dès le lendemain matin…

Le matin, cependant, semblait encore très loin.

Chapitre 14

— Je crois que mes capsules me rendent malade, dit Dominique à son médecin le lendemain matin. Je me sens plus mal qu'avant d'entrer à l'hôpital. Je suis peut-être allergique à ce médicament. Vous feriez mieux de me prescrire autre chose.

Certaine que son médecin ne la croirait pas plus qu'Amélie si elle lui disait ressentir les effets secondaires de la digoxine, Dominique avait opté pour une approche différente.

Le docteur Morand tripota l'anneau dans son oreille et fronça les sourcils.

— C'est à cause du médicament qui combat l'infection, dit-il brusquement. Nous sommes presque certains que tu souffres de la grippe. Les analyses sanguines n'ont rien révélé de plus sérieux. Tu te sentiras mieux dans un jour ou deux, d'accord?

Sans attendre de réponse, il sortit.

— Ces capsules me rendent malade! cria-t-elle.

Mais c'était peine perdue. Il ne l'écoutait pas.

Un cliquetis dans le couloir précéda l'arrivée de Mathieu.

Dominique se dressa et prêta l'oreille. Ce n'était

probablement qu'un des nombreux bruits que l'on entendait dans un hôpital, mais...

— Comment ça va ? demanda Mathieu en s'appuyant contre le mur.

— Va-t'en, dit-elle d'un ton rude. Je ne veux pas parler à des gens qui me croient folle.

— Hé ! dit-il en s'approchant, je n'ai jamais dit ça. Tu es malade, c'est tout.

— Ce cliquetis dans le couloir, qu'est-ce que c'était ? demanda-t-elle.

— Oh ! ça ! C'était une civière. Une des roues a besoin d'être réglée.

— Une civière ?

Mathieu acquiesça.

— Oui, je l'apporte en bas. À la morgue. Pourquoi ?

Dominique frissonna. La morgue...

— Pourquoi ? répéta Mathieu.

— Oh ! c'est juste que... commença-t-elle en secouant la tête.

Elle était certaine d'avoir entendu un bruit identique la nuit où elle avait cru que quelqu'un se trouvait dans sa chambre.

Pourquoi quelqu'un aurait-il transporté une civière hors de sa chambre ? Et pourquoi d'abord s'y serait-elle trouvée ?

— C'est juste que j'ai cru entendre ce bruit l'autre nuit, dit-elle d'un air songeur. Dans ma chambre, je crois.

— Il y a beaucoup de civières dans un hôpital, Dominique. C'est normal que tu en aies déjà entendues passer dans le couloir.

Pourtant, le bruit lui avait semblé plus près...

— Est-ce que quelqu'un est mort durant la nuit, il y

a deux jours? La nuit où tout le monde est persuadé que j'ai fait un cauchemar?

Mathieu soupira et secoua la tête.

— Non, Dominique. Si tu as entendu une civière, c'était probablement un patient qui revenait de la salle d'opération ou quelqu'un qu'on changeait d'étage. Personne n'était mort cette nuit-là.

Puis, elle se souvint du patient dont Amélie lui avait parlé...

— Et monsieur Lanthier? Amélie a dit qu'il était décédé. Quand?

— Il y a deux jours, je crois. Juste avant ton arrivée. Je ne travaillais pas ce soir-là. Tout le monde parlait de sa mort le lendemain. Il était membre du conseil de l'hôpital et avait fait don de sommes importantes à l'hôpital.

Après avoir recommandé à Dominique de se reposer, Mathieu partit.

Quelques minutes plus tard, Cynthia et Judith arrivèrent presque en même temps.

— Je t'ai apporté des magazines, annonça Judith. J'espère que tu ne les as pas déjà lus.

Dominique raconta à Judith l'incident de la douche sans omettre aucun détail.

— C'est vraiment arrivé, Judith. Mais personne ne me croit. Tout le monde prétend que j'ai des hallucinations.

— Oh! Dominique! C'est la pire chose que j'aie jamais entendue! N'avez-vous pas appelé la police? Tu aurais pu être tuée!

— Personne n'a alerté la police. Je te l'ai dit, on croit que j'ai tout inventé.

— Pourquoi mentirais-tu à propos d'une chose si horrible ?

— Personne ne prétend qu'elle ment, intervint Cynthia. Mais le personnel médical connaît les effets d'une forte fièvre. Les gens voient et entendent des choses étranges lorsque leur température est élevée.

Judith semblait perplexe. Dominique s'aperçut que son amie ne savait plus qui croire. Elle non plus, d'ailleurs.

— La porte de la douche était verrouillée, fit remarquer Cynthia. Dominique l'a dit elle-même. Puisque la clé se trouvait au poste des infirmières, comment quelqu'un aurait-il pu entrer ?

— Laissez tomber, dit Dominique d'un ton découragé.

Abattue, déprimée et épuisée par le manque de sommeil, Dominique ne fut pas d'excellente compagnie. Judith et Cynthia ne restèrent que quelques minutes. Judith promit de revenir plus tard et Cynthia dit qu'elle s'arrêterait de nouveau avant de quitter l'hôpital.

Dominique les entendit parler dans le couloir.

— Cynthia, Dominique n'invente pas d'histoires. Je ne peux pas croire que personne ne la prend au sérieux.

Puis, leurs voix s'évanouirent et Dominique ne put entendre la réponse de Cynthia.

Mais cela n'avait pas d'importance. Dominique avait trouvé un moyen de savoir ce que contenaient ses capsules.

Si Judith voulait bien l'aider…

Chapitre 15

Lorsque Louis s'arrêta pour voir comment elle allait, Dominique, malgré ses nausées, réussit à lui poser une question.

— Le personnel d'entretien ne possède-t-il pas une clé de la salle des douches? demanda-t-elle tandis qu'il s'assoyait sur son lit.

— Non. Nous utilisons la clé qui se trouve au poste des infirmières.

Déçue de la réponse de Louis, Dominique soupira.

— Je ne suis pas si certain que tu aies imaginé cette attaque, dit soudain Louis d'un ton songeur. Je sais que tout le monde croit que tu as eu des hallucinations, mais...

Les yeux de Dominique s'emplirent de larmes. C'était si merveilleux d'être crue. Elle lui tendit la main.

— Tu es sérieux?

Louis acquiesça.

— Ça ne te ressemble pas, c'est tout. Je sais que la fièvre peut entraîner des effets étranges, mais il aurait fallu *toute* une fièvre pour que Dominique Nantel ait des hallucinations. De plus, si tu as été capable de te lever et de te rendre à la salle des douches, ta température ne devait pas être tellement élevée.

— Merci, Louis, murmura Dominique d'un ton reconnaissant. Merci! C'est si bon de constater qu'au moins une personne ne croit pas que j'ai perdu la tête.

Dominique se sentait de nouveau fiévreuse.

— Pourrais-tu me verser un verre d'eau? Je meurs de soif.

Louis souleva la lourde carafe en métal et versa de l'eau dans un verre. Lorsqu'il le lui tendit, la manche de sa blouse verte remonta légèrement, révélant une vilaine coupure sur son poignet gauche.

Le sang de Dominique ne fit qu'un tour. Elle savait qu'elle avait infligé une coupure à son agresseur dans la douche. Mais Louis? *Louis?*

Puis, elle faillit éclater de rire. Elle perdait *vraiment* la tête. Louis Marchand ne ferait pas de mal à une mouche.

Toutefois, après avoir avalé une longue gorgée d'eau fraîche, elle ne put s'empêcher de faire une remarque.

— C'est une vilaine coupure. Comment est-ce arrivé?

L'air ennuyé, Louis tira sur sa manche.

— Ce n'est rien.

Insatisfaite, Dominique insista.

— Comment t'es-tu fait ça? Tu n'as tout de même pas voulu en finir avec la vie, n'est-ce pas, Louis? ajouta-t-elle pour plaisanter.

— Si tu veux absolument le savoir, je me suis blessé en immobilisant ton fauteuil roulant. J'ai heurté une roche.

Dominique se sentit coupable. Il s'était fait mal en lui sauvant la vie et elle avait cru que…

— Pourquoi ne m'as-tu rien dit? J'ignorais que tu avais été blessé. Tu as montré cette coupure à un médecin?

— Non, ce n'est qu'une égratignure.

Il sourit et lui prit la main.

— Mais je suis content de voir que tu t'inquiètes pour moi. Je n'en étais pas certain.

— Bien sûr que je m'inquiète pour toi, Louis, dit-elle.

«Nous sommes amis», allait-elle ajouter lorsque Amélie apparut dans l'embrasure de la porte.

À en juger par son expression, elle avait entendu ce que Dominique avait dit. Elle semblait bouleversée. Elle avait les larmes aux yeux, les poings serrés et sa lèvre inférieure tremblait.

«Elle n'était sûrement pas d'accord pour mettre fin à sa relation avec Louis», se dit Dominique tristement en retirant sa main de celle de Louis.

Sans un mot, Amélie tourna les talons et sortit.

— J'ai besoin de dormir, dit Dominique. Tu veux bien me laisser seule?

Louis parut surpris.

— Ne devrions-nous pas tenter de découvrir l'identité de la personne qui t'a attaquée dans la douche?

— Je suis trop fatiguée pour penser à tout ça, Louis.

Il se leva et posa une main sur sa tête.

— Je crois que ta température a grimpé de nouveau. Tu as raison. Tu as besoin de repos. Alors reste au lit et prends tes médicaments.

Elle ne lui dit pas qu'elle avait décidé de ne plus

avaler une seule capsule. Il pourrait aller tout raconter aux médecins ou aux infirmières.

Après le départ de Louis, Dominique attendit l'arrivée de Judith, qui avait promis de revenir.

Toutefois, c'est Amélie qui apparut avec le plateau de Dominique.

Elles étaient toutes les deux mal à l'aise et la conversation manquait de naturel.

— Tiens, dit Amélie, je t'ai apporté un journal.

— Merci. Merci beaucoup, Amélie. Je…

Elle ne parlerait pas de Louis. Ce serait comme retourner le couteau dans la plaie.

— Je crois que je vais dormir. Je suis vraiment fatiguée.

L'air grave, Amélie posa une main sur le front de Dominique.

— Tu es vraiment très fiévreuse. Tu prends tes médicaments ?

Dominique savait pourquoi on lui posait constamment cette question. Tout le monde devait être au courant de ses soupçons concernant les capsules.

— Oui, dit-elle, je prends mes médicaments.

C'était la vérité… pour le moment.

— À tout à l'heure, dit Amélie sèchement. Repose-toi bien.

Elle pivota et sortit, marchant avec raideur.

C'est alors que quelque chose attira l'attention de Dominique.

Amélie portait généralement des bas de nylon blancs pour travailler. Aujourd'hui, cependant, ses bas étaient beiges. Sous le tissu transparent, Dominique aperçut, sur le mollet d'Amélie, une marque rouge foncé en zigzag, comme un éclair.

— Amélie, dit Dominique, qu'est-il arrivé à ta jambe?

Amélie se retourna légèrement.

— Oh! ça... Je me suis coupée en me rasant. C'est stupide, n'est-ce pas? Il y avait du sang partout. À tout à l'heure.

Et elle disparut dans le couloir.

« Je me suis coupé les jambes des milliers de fois en me rasant, se dit Dominique, et il n'y avait pas du sang partout. Avec quoi Amélie se rase-t-elle? Avec une scie électrique? »

À moins... que quelqu'un ne l'ait blessée... quelqu'un de désespéré, armé d'un petit rasoir rose, dans l'obscurité d'une douche?

Qu'est-ce qui lui arrivait? Elle devenait *vraiment* paranoïaque. « Si c'était moi qui l'avais blessée, Amélie ne m'aurait pas répondu si calmement, pensa-t-elle. Et elle n'aurait pas porté de bas transparents. »

À moins... qu'Amélie ne voulût *pas* cacher à Dominique que c'était elle, sachant qu'une personne faible et malade qu'on soupçonnait d'avoir des hallucinations ne pourrait pas l'arrêter.

Dominique se rendit compte, terrifiée, que, de tous ceux qu'elle connaissait, Amélie Sénécal était la seule à avoir une raison de lui vouloir du mal. Amélie était toujours amoureuse de Louis. Mais celui-ci était manifestement attiré par Dominique.

La police cherchait toujours le mobile d'un meurtre.

Dominique venait tout juste d'en trouver un.

Chapitre 16

Dominique dut remettre à plus tard ses réflexions concernant Amélie à l'arrivée de ses parents.

— J'aimerais que nous puissions venir plus souvent, dit sa mère. Je m'inquiète constamment à ton sujet. Mais c'est le temps des déclarations de revenus et tu sais ce que c'est.

Les parents de Dominique étaient comptables.

— Puis-je rentrer à la maison ? supplia Dominique. Je récupérerai plus vite là-bas, c'est promis.

— Oh ! Dominique, ne recommence pas ! gémit sa mère. Tu es beaucoup mieux ici. Je t'ai dit à quel point nous étions débordés. Au moins, ici, il y a quelqu'un qui s'occupe de toi sans arrêt.

— Mais je ne me sens pas en sécurité, protesta-t-elle.

Ses parents échangèrent un regard. Dominique comprit, à leur expression, qu'eux aussi croyaient que la fièvre affectait l'état mental de leur fille. C'était sans espoir…

Après le départ de ses parents, Dominique s'empara du journal et commença à le feuilleter distraitement. Soudain, un nom attira son attention.

Lanthier. Victor Lanthier, lut-elle.

Lanthier ? C'était le nom de l'homme qui était mort avant qu'elle ne soit admise. Sa curiosité piquée, Dominique parcourut le bref article.

Une bourse d'études au nom de Victor Lanthier, qui demeurait depuis longtemps à Sainte-Laurence et qui était membre du conseil d'administration de l'hôpital de cette ville, a été créée à l'intention des futurs étudiants en médecine. Monsieur Lanthier, âgé de soixante-quatre ans, est décédé récemment à la suite d'une courte maladie. Selon sa fille, madame Claire Lanthier, le principal champ d'intérêt de monsieur Lanthier était la médecine. Il estimait important d'attirer les jeunes vers des carrières dans le domaine de la santé et a grandement apprécié le travail de ces derniers à l'hôpital durant son bref séjour.

Dominique ne put s'empêcher de se demander à qui il faisait allusion. À Amélie ? À Cynthia ? À Mathieu ? Peut-être même à Louis ?

De toute façon, monsieur Lanthier n'était pas décédé la nuit où elle avait entendu tous ces bruits étranges. Cela n'avait donc rien à voir avec ce qui lui arrivait.

Elle laissa tomber le journal sur ses genoux.

Une infirmière entra alors dans la chambre et tendit deux capsules à Dominique.

Celle-ci les prit sans un mot, les enfouit dans un coin de sa bouche et pria en silence pour que les capsules ne se dissolvent pas trop rapidement. Elle but une petite gorgée d'eau et disparut sous les couvertures.

Son plan fonctionna. L'infirmière sortit et la lourde porte en bois se referma derrière elle.

Dominique s'assit et cracha les capsules mouillées mais toujours intactes dans sa main. Elle les enveloppa dans une serviette en papier qu'elle cacha sous son oreiller. Elle devrait s'assurer que personne ne ferait bouffer son oreiller ou n'en changerait la taie.

Sans les capsules, elle commencerait peut-être à se sentir mieux.

Amélie, aussi joyeuse que d'habitude, entra dans la chambre d'un pas vif. Elle souriait.

— As-tu entendu la nouvelle ? demanda Amélie. Quelqu'un te l'a-t-il dit ?

— Dit quoi ?

— Christophe a téléphoné hier soir. Je viens tout juste de l'apprendre.

— Quoi ? Qu'est-ce que tu dis ?

Amélie versa un verre d'eau à Dominique.

— Christophe a appelé. Il voulait te parler.

— Mais le téléphone n'a pas sonné dans ma chambre ! Puisque je ne dormais pas, je l'aurais entendu.

— La standardiste n'a pas passé l'appel. Christophe avait oublié de tenir compte du décalage horaire. Il n'était que vingt heures en Californie, mais il était vingt-trois heures ici. Aucun appel n'est passé aux patients si tard.

Dominique se laissa tomber contre les oreillers, déçue.

— Zut ! J'aurais vraiment voulu lui parler. Il a dû lire dans mes pensées.

Elle sourit vaguement.

— Parfois, il pouvait vraiment le faire, tu sais. Il avait l'habitude de terminer mes phrases. Cela me rendait folle.

Elle but une gorgée d'eau.

— Qui lui a répondu ? demanda Dominique.

Christophe lui avait peut-être laissé un message.

Amélie haussa les épaules et commença à mettre de l'ordre sur la table de chevet.

— L'une des téléphonistes, je suppose. C'est une infirmière qui m'a appris la nouvelle. J'ai cru que ça te réjouirait, mais tu ne sembles pas très gaie. Je n'aurais peut-être pas dû t'en parler.

— Tu as bien fait de me le dire.

Si Christophe rappelait, elle ne voulait pas que le personnel le lui cache. Au moins, elle savait maintenant qu'il s'était rendu en Californie sain et sauf.

— Merci, Amélie. J'espère que la standardiste lui a rappelé le décalage horaire afin qu'il ne commette pas la même erreur.

— Je suis certaine qu'elle l'a fait. Il rappellera peut-être aujourd'hui.

Amélie fit une pause.

— Louis est au courant, Dominique, ajouta-t-elle.

— Au courant de quoi ? demanda Dominique en levant la tête.

— Il sait que Christophe t'a téléphoné. Je l'ai croisé dans le couloir tout à l'heure et il ne paraissait pas très content. Il est jaloux de Christophe, tu sais. Il l'a toujours été, même lorsqu'il sortait avec moi. Nous nous sommes disputés à ce sujet à quelques reprises.

— Je suis désolée, Amélie, murmura Dominique. Vraiment.

— Je sais.

La voix d'Amélie était aussi douce que d'habitude.

— Ça ira, Dominique. Ce n'est pas ta faute. Écoute,

tu as besoin de quelque chose avant que je ne retourne travailler ? Je n'aurai peut-être pas le temps de revenir. Nous sommes très occupés. Il y a d'autres cas de grippe.

— Amélie, tu te souviens de Victor Lanthier ?

Amélie se mit à tripoter les couvertures.

— Nous ne sommes pas supposés parler de lui, Dominique. Tout le monde est triste qu'il soit mort. Nous l'aimions tous. Il commençait à prendre du mieux. Et alors...

Elle haussa les épaules.

— Que s'est-il passé ?

— Je ne sais pas. Mais il avait des problèmes cardiaques, alors... Je dois partir. Judith arrivera probablement d'une minute à l'autre pour te tenir compagnie. À tout à l'heure.

Amélie avait raison. Elle venait tout juste de sortir de la chambre lorsque Judith entra précipitamment, l'air coupable.

— Où étais-tu ? demanda Dominique. Je t'ai attendue toute la journée.

— Désolée. J'ai dû faire des courses pour l'épouse de mon père, dit-elle en roulant des yeux.

Judith avait toujours recours à cette expression pour parler de sa belle-mère.

— Eh bien ! Je suis heureuse que tu aies envie de faire des courses, dit Dominique, car j'en ai une pour toi. Et ça ne peut pas attendre.

Chapitre 17

— Il paraît que Christophe a appelé hier soir, dit Judith.

Un large sourire éclairait son visage. Ses tresses étaient retenues par un ruban orangé de la même couleur que ses vêtements.

— Oui, mais je n'ai pas pu lui parler.

Dominique lui expliqua pourquoi.

— Comment as-tu appris qu'il avait téléphoné? demanda-t-elle.

— Louis me l'a dit, répondit Judith. Il ne semblait pas très heureux.

Elle fit une pause.

— Il t'aime bien, n'est-ce pas? ajouta-t-elle.

Dominique ne savait pas quoi répondre. Oui, il l'aimait probablement, mais cela avait si peu d'importance pour elle dans le moment.

— Laisse tomber Louis, dit-elle avec brusquerie. À propos de cette course…

Judith soupira bruyamment.

— Est-ce vraiment très important?

— Tu veux que je guérisse? demanda Dominique d'un ton sévère.

Judith rougit.

— Bien sûr, Dominique. D'accord. De quoi s'agit-il ? Où dois-je aller ?

— Au laboratoire.

— Tu veux parler du laboratoire de Daniel ? demanda Judith en fronçant les sourcils.

— Naturellement.

— Pourquoi as-tu besoin d'un laboratoire ?

— Je dois faire analyser mes capsules et Daniel est la personne tout indiquée pour me rendre ce service.

Elle tendit à Judith les capsules qu'elle n'avait pas avalées et qui étaient toujours enveloppées dans une serviette en papier.

— Apporte-les au laboratoire immédiatement et demande à Daniel d'identifier leur contenu. Reviens directement ici pour me le dire.

— Pourquoi ne poses-tu pas cette question à ton médecin ?

Dominique lui lança un regard furieux.

— Parce que mon médecin *ignore* de quoi il s'agit. Il croit qu'il le sait, mais, selon moi, il se trompe. Je pense qu'on m'administre le mauvais médicament et Daniel peut me dire si j'ai raison. Alors dépêche-toi, d'accord ? C'est important.

Judith se leva. Elle prit la serviette en papier, puis hésita.

— Dominique, je n'arrive pas à croire que quelqu'un puisse commettre une telle erreur.

— C'est parce que tu n'es pas une patiente de cet hôpital.

Consciente du temps qui passait, Dominique insista.

— Judith, vas-y, je t'en prie. Fais-moi confiance. Je sais ce que je fais. Je te promets de ne plus jamais te demander de me rendre service aussi longtemps que je vivrai.

Judith sourit faiblement.

— Je veux que tu saches que j'accepte de t'aider seulement parce que tu es ma meilleure amie et parce que je m'ennuie et que je veux que tu sortes d'ici. Mais je suis prête à parier que tu te trompes à propos de ces capsules, Dominique. Je dirai à Daniel que c'est pour toi. Tu lui as toujours plu.

Elle se pencha pour enlacer Dominique brièvement.

— Je reviens tout de suite, c'est promis.

Lorsque Judith fut partie, Dominique se demanda à qui elle se confierait si les capsules contenaient de la digoxine. Il devrait s'agir de quelqu'un en qui elle avait entièrement confiance.

Cependant, la liste des personnes à qui elle pouvait se fier n'était plus aussi longue qu'auparavant.

Louis entra dans la chambre, balai à laver à la main.

Lorsqu'il se pencha pour poser un baiser sur sa joue, Dominique fut surprise d'avoir un mouvement de recul. Elle ne l'avait pas fait exprès. C'était tout à fait involontaire. Elle savait pourtant que son attitude avait été dictée par la peur.

La peur de *Louis*?

C'était ridicule. Louis détestait blesser les gens. Lorsqu'il avait commencé à jouer au football, il n'avait pas eu beaucoup de succès, ayant peur de faire mal à ses adversaires quand il les plaquait.

— Ça va? demanda doucement Louis en fronçant les sourcils. Tu prends tes médicaments?

Dominique remarqua que ce n'était pas la première fois que Louis lui posait cette question. Pourquoi se préoccupait-il tellement de son traitement?

« Peut-être sait-il quelque chose à propos des capsules », pensa-t-elle.

— Oui, répondit-elle brusquement, je les prends.

Louis, qui semblait l'aimer tellement, était-il celui qui lui voulait du mal?

Si Christophe n'était pas parti, la jalousie l'aurait peut-être incité à poser des gestes bizarres.

Mais Christophe se trouvait en Californie. Il n'était pas une menace pour Louis. Cependant, celui-ci n'en était peut-être pas convaincu. C'était peut-être l'une de ces personnes qui ne croyaient pas à l'amitié entre un garçon et une fille.

Louis n'avait pas l'air heureux en sortant de la chambre, mais Dominique n'y attacha pas beaucoup d'importance.

Que faisait donc Judith? « J'ai besoin de savoir la vérité et *tout de suite.* »

Une longue heure et demie plus tard, Judith, les joues rougies et hors d'haleine, entra dans la chambre en courant, un sac en papier à la main.

— Me voilà, dit-elle d'un ton las.

Elle tendit le sac à Dominique.

— Les capsules et le rapport sont à l'intérieur. Daniel était ravi de te rendre service.

Elle hésita.

— Dominique, pourquoi ne pas m'avoir dit que tu souffrais d'une maladie cardiaque? demanda-t-elle, l'air offensé.

Dominique regarda le rapport, sachant déjà ce qu'elle y lirait.

DIGOXINE

Chapitre 18

La vue de ce mot sur un petit bout de papier, prouvant que ses soupçons, même s'ils avaient semblé ridicules au départ, étaient fondés, lui causa tout un choc. Quelqu'un lui avait vraiment fait ça ? Délibérément ?

Qui pouvait la détester à ce point ?

Elle avait raison. Quelqu'un avait substitué la digoxine à ses antibiotiques.

Et elle était la seule à le savoir.

Mis à part la personne qui l'avait *fait.*

Qui *était* cette personne ?

Tandis qu'elle fixait le bout de papier qu'elle tenait dans sa main, Judith répéta sa question.

— Dominique ? Pourquoi ne m'as-tu pas dit que tu souffrais d'une maladie cardiaque ?

— Je n'ai pas de problème cardiaque, répondit Dominique.

— Daniel s'est trompé ? Mais... il semblait si certain... dit Judith. Je lui ai dit que « digoxine » ne ressemblait pas à un nom d'antibiotiques et il m'a répondu que ça n'en était pas un, mais plutôt un médicament pour le coeur. Je lui ai fait remarquer que tu n'étais pas atteinte d'une maladie cardiaque. Il a dit : « Alors, elle ne devrait pas prendre ce médicament. Cela ne l'aidera pas à guérir. Ça la rendra encore *plus* malade. »

Dominique demeura silencieuse, se demandant si elle devait se confier à Judith. Et si, malgré l'analyse de Daniel, Judith ne la croyait pas et la traitait de paranoïaque ? Pire encore, si elle allait raconter à quelqu'un que Dominique avait fait analyser les capsules ? La nouvelle aurait tôt fait de circuler dans l'hôpital. La personne qui avait posé ce geste saurait alors que Dominique se méfiait et quelque chose de terrible pourrait se produire. On s'en prendrait peut-être même à Judith, puisque c'était elle qui avait apporté les capsules au laboratoire.

Non, elle ne pouvait pas tout raconter à Judith. C'était trop risqué.

— Ça n'a pas d'importance, dit Dominique. Oublions ça. Parlons d'autre chose. As-tu vu Louis aujourd'hui ?

— Dominique ! cria Judith d'une voix aiguë. Tu plaisantes ? Daniel m'annonce que tu prends un médicament pour le coeur et tu t'attends à ce que je laisse tomber, tout simplement ? Qu'est-ce qui se passe ?

Voyant que Dominique, qui s'efforçait de trouver rapidement une explication plausible, demeurait silencieuse, Judith insista.

— Dominique, nous n'avons pas de secrets l'une pour l'autre, n'est-ce pas ? Tu as des ennuis ? Tu avais l'air si effrayée tout à l'heure. Qu'est-ce que tu fais avec ces capsules ? Où les as-tu obtenues ?

Dominique avait terriblement envie de tout avouer à Judith, mais elle refusait de mettre la vie de sa meilleure amie en danger.

— Je t'ai bien eue, dit-elle avec un sourire forcé. Et si je te disais que je me suis payé ta tête en te faisant courir pour rien ? ajouta-t-elle timidement.

Judith mit quelques instants à réagir.

— Dominique Nantel ! Je ne te *crois* pas ! Tu n'as pas fait ça ! Tu ne m'as pas envoyée à l'autre bout de la ville sans raison, n'est-ce pas ?

Le sourire de Dominique s'élargit.

Judith leva les bras au ciel.

— Ça ne se peut pas ! Les gens malades ne sont pas censés jouer des tours ! Je ne te crois *pas*.

Mais Dominique s'aperçut qu'elle la croyait. Elle se sentait à la fois soulagée et terriblement seule. Elle ne s'était pas confiée à Judith. Celle-ci ne courait aucun risque. Cependant, Dominique était de nouveau seule.

— Mais je suppose que cela indique que tu vas mieux, n'est-ce pas ? ajouta Judith en souriant. Tu me manques tellement, continua-t-elle d'une voix douce.

En pensant à la digoxine qui circulait dans ses veines, Dominique resta muette. Allait-elle rentrer chez elle bientôt ? Y retournerait-elle *jamais* ?

Elle avait besoin de réfléchir à la conclusion du rapport de laboratoire et à ce qu'elle allait faire.

— Je suis vraiment épuisée, Judith. Je crois que je devrais dormir. Tu pourrais peut-être revenir ce soir ?

Immédiatement, Judith bondit sur ses pieds.

— Bien sûr, je suis désolée. Je n'aurais pas dû rester si longtemps. J'oublie sans cesse que tu es malade. Je reviendrai plus tard.

Elle lui adressa alors un sourire radieux.

— Je suis furieuse que tu m'aies fait courir jusqu'à

l'autre bout de la ville pour rien, mais je suis ravie que tu te sois sentie assez bien pour le faire. Salut!

Une fois seule, Dominique se demanda si la digoxine pouvait se trouver dans ses capsules par erreur.

Il y avait eu beaucoup d'«erreurs»: l'affiche concernant l'ascenseur en panne, sa descente en fauteuil roulant, l'attaque dans la douche et la digoxine. C'était impossible que tous ces incidents aient été le fruit d'une simple erreur. Quelqu'un les avait provoqués.

Si seulement elle possédait des indices pour découvrir de qui il s'agissait et pourquoi la personne avait posé de tels gestes.

Dominique s'appuya contre son oreiller, souffrant d'élancements dans la tête, et ferma les yeux.

Elle constata alors avec horreur qu'il fallait que ce soit quelqu'un qu'elle connaissait, quelqu'un qui se trouvait dans l'hôpital et qui était au courant de ses allées et venues.

Amélie, de toute évidence, était toujours amoureuse de Louis. Mais celui-ci était attiré par Dominique Nantel. Amélie devait s'en trouver terriblement blessée ou... furieuse. De plus, elle pouvait perdre son sang-froid — Dominique le savait maintenant. Elle avait également une très vilaine plaie au mollet.

Jusqu'où pouvait aller Amélie Sénécal pour reconquérir Louis Marchand?

Celui-ci s'était également coupé. Il avait affirmé s'être blessé au poignet en immobilisant son fauteuil roulant avant qu'il ne plonge dans l'eau glacée du lac.

Mais Louis n'avait aucune raison de lui vouloir du mal. Qu'avait-elle bien pu lui faire?

Amélie avait dit que Louis était jaloux de son amitié avec Christophe depuis longtemps. Mais à quel point ? Et pourquoi alors s'en serait-il pris à *elle* ?

Était-ce possible que Louis et Christophe se soient disputés avant le départ de Christophe ? Louis le détestait-il au point de vouloir attaquer toute personne qui comptait pour lui ? Dominique Nantel, par exemple ?

Si seulement elle savait où joindre Christophe. Elle lui téléphonerait et lui demanderait s'il s'était disputé avec Louis.

Et Cynthia ? Elle semblait intéressée uniquement à l'état de santé de Dominique. S'agissait-il d'un habile stratagème ? Dominique tenta de se souvenir de quelque chose qu'elle avait fait et qui aurait pu mettre Cynthia en colère, mais en vain.

Enfin, il y avait Mathieu Langevin. Il se trouvait près d'elle lorsqu'elle avait failli tomber dans la cage de l'ascenseur ainsi que lorsqu'elle avait dévalé la pente en fauteuil roulant. Mais selon elle, Mathieu n'avait aucune raison de lui en vouloir. Et il était si prévenant...

« Qu'est-ce que je suis en train de *faire* ? »

Dominique enfouit son visage dans ses mains. « Tout le monde a raison à mon sujet. Je perds la tête. Je soupçonne mes amis, ceux qui m'ont aidée depuis que je suis malade. Pas étonnant qu'on me traite comme si j'étais devenue folle depuis la nuit où j'ai entendu ces bruits étranges dans ma chambre. »

Ces bruits... Et si tout le monde se trompait ? Si ces bruits avaient été réels et non pas le fruit de son esprit fiévreux ? Si quelqu'un s'était *vraiment* trouvé dans sa chambre ? Quelqu'un qui ne voulait pas être vu ?

Quelqu'un qui craignait que Dominique ne l'ait aperçu ?

Quel geste horrible avait bien pu poser cette personne pour qu'il soit devenu absolument nécessaire de supprimer le seul témoin ?

Qui, exactement, savait qu'elle avait entendu quelque chose cette nuit-là ?

Tout le monde.

Tout le monde savait.

Dominique sentit des larmes d'exaspération lui piquer les yeux. Pourquoi perdre du temps à tenter de découvrir l'identité de la personne qui lui en voulait ? Il était clair que la seule façon d'être de nouveau en sécurité était de s'enfuir de l'hôpital.

Maintenant qu'elle savait qu'on lui avait délibérément administré de la digoxine, elle ne pouvait passer une nuit de plus dans cet endroit.

Elle devait partir.

« Si seulement je pouvais appeler Christophe et lui demander de venir me chercher », pensa Dominique.

Mais Christophe n'était pas là.

Elle devrait trouver un moyen pour se sortir de là toute seule.

Chapitre 19

Dominique décida de tenter de se sauver à minuit. Les patients dormiraient et les infirmières seraient affairées à compléter les dossiers. Elle devrait s'efforcer d'éviter les employés qui s'occupaient de l'entretien. Durant ses nuits d'insomnie, elle les avait entendus laver le plancher ou changer les ampoules dans les couloirs à toute heure de la nuit. L'un d'eux pourrait avoir des soupçons en voyant une patiente rôder si tard dans le corridor. S'il en avisait les infirmières, son plan serait foutu.

Il ne fallait pas que cela se produise. Elle *devait* sortir de là.

Lorsque ses parents lui rendirent visite à vingt heures, elle leur demanda une fois de plus de la ramener à la maison. Elle savait qu'ils refuseraient.

— Si seulement tu te détendais, Dominique, la réprimanda doucement sa mère, tu guérirais beaucoup plus rapidement. Le docteur Morand affirme que ce n'est rien de sérieux, mais que tu nuis à ta propre guérison.

Elle nuisait à sa propre guérison ? Ce n'était pas *elle* qui en était responsable !

Sachant que ses parents se mettraient en colère si elle insistait, Dominique abandonna. Elle sortirait de l'hôpital seule, même si c'était la dernière chose qu'elle faisait.

Judith ne revint pas. Plus tard durant la soirée, lorsque Cynthia apporta de l'eau fraîche à Dominique, elle lui apprit que Judith avait téléphoné au poste des infirmières pour dire qu'elle ne se sentait pas bien.

— A-t-elle dit de quoi elle souffrait ? demanda Dominique. J'espère qu'elle n'a pas attrapé mon virus.

Cynthia secoua la tête.

— Elle était peut-être seulement fatiguée. Toutes ces courses qu'elle a faites pour toi aujourd'hui... Je l'ai vue entrer, sortir, puis revenir et repartir. Elle t'a apporté des friandises ?

« Pas tout à fait, pensa Dominique. Elle m'a annoncé que quelqu'un veut ma peau. »

— Non, seulement du shampoing.

Cynthia fit un signe affirmatif et ajouta qu'elle allait bientôt rentrer chez elle et reverrait Dominique le lendemain matin. Puis, elle sortit.

« Tu ne me verras pas demain matin, dit Dominique intérieurement, car je serai partie. Du moins, je l'espère. »

Une fois l'heure des visites terminée, Dominique marcha jusqu'à la garde-robe sur la pointe des pieds et y entra. Dans l'espace exigu et obscur, elle enfila ses jeans, un chandail, des chaussettes et des chaussures de sport. Laissant son peignoir par terre dans la garde-robe, elle se hâta de retourner sous les couvertures afin d'attendre le moment propice.

Elle n'avait pas de plan. Elle attendrait, serait très

prudente et prierait. Si elle pouvait seulement se rendre à l'ascenseur sans être vue...

— Tu ne dors pas encore? dit une voix dans l'embrasure de la porte.

Dominique sursauta et remonta la couverture jusqu'à son cou.

— Mathieu? Qu'est-ce que tu fais là?

Il entra dans la chambre et s'approcha du lit en souriant.

— Je te surveille, répondit-il.

Remarquant qu'elle avait remonté les couvertures jusque sous son menton, il fronça les sourcils.

— Tu as froid? Je trouve pourtant qu'on est bien ici.

— *Tu* ne fais pas de fièvre, fit-elle remarquer. J'ai parfois très chaud, mais pour l'instant, je gèle.

Elle avait laissé la porte de la garde-robe ouverte. Zut! S'il regardait par là et remarquait que ses vêtements n'étaient pas suspendus...

Mais il ne regardait pas dans la direction de la garde-robe. C'était elle qu'il observait.

Et s'il décidait de prendre son pouls? Cela lui arrivait, parfois, quand il voulait «jouer» au médecin.

Elle n'aurait qu'à dire qu'elle avait froid et avait enfilé un chandail par-dessus sa robe de nuit.

— Pourquoi ne dors-tu pas? demanda-t-il.

— J'ai du mal à fermer l'oeil quand quelqu'un se tient à côté du lit et me parle, répondit Dominique d'un ton sarcastique.

Elle fut étonnée de voir Mathieu reculer, comme si elle venait de le frapper. L'avait-elle blessé? Cela avait-il une quelconque importance?

La seule chose qui importait pour Dominique, c'était de sortir de l'hôpital. Si, pour cela, elle devait blesser Mathieu Langevin, tant pis.

— Désolé, dit-il doucement. Je ne voulais pas te déranger. J'ai pensé que tu avais peut-être besoin de quelque chose.

Il hésita avant de poursuivre.

— Je... je voulais m'assurer que tu savais que j'avais bel et bien vérifié le frein de ton fauteuil roulant. J'y ai réfléchi et j'en suis certain.

Toute l'horreur de cette mésaventure submergea Dominique, qui frissonna violemment.

— Désolé, répéta Mathieu. Je n'aurais pas dû parler de ça. Ça te donne probablement encore des cauchemars. Pas étonnant que tu n'arrives pas à dormir.

Même dans l'obscurité, elle pouvait lire la culpabilité sur son visage. Mais comment être certaine qu'il était sincère ?

— Je *pourrais* dormir, dit-elle d'un ton acerbe, si tu t'en allais et me laissais seule.

— Ton attitude de dure à cuire ne me trompe pas, dit Mathieu calmement. Je pense que tu es terrifiée et je ne te blâme pas. Tu as vécu des incidents pénibles. La fièvre peut être une expérience désagréable.

« La fièvre ? pensa Dominique. Il se paie ma tête ! »

— Dis-moi que tu me crois quand j'affirme avoir vérifié le frein et je partirai, dit-il en se penchant au-dessus du lit. J'ai besoin de savoir que tu me crois.

— Bien sûr. Je te crois.

Elle était prête à tout pour se débarrasser de lui.

— Super ! Très bien, alors. Maintenant, dors et je reviendrai te voir en arrivant demain.

Puis, il la prit par surprise en se penchant et en l'embrassant sur la joue.

Avant qu'elle n'ait pu protester, il était parti.

Dominique se surprit à souhaiter ardemment pouvoir être certaine que Mathieu était de son côté. Elle aurait alors pu lui demander de l'aider à s'enfuir et n'aurait pas été si terrifiée.

Mais...

Mathieu était le seul qui s'était trouvé là lorsqu'elle avait failli tomber dans la cage de l'ascenseur et lorsqu'elle avait dévalé la pente en fauteuil roulant. Comment pouvait-elle lui faire confiance?

Non, il valait mieux agir seule. Ce serait plus sûr ainsi.

Quelque vingt minutes plus tard, cependant, elle ne se sentait plus aussi sûre d'elle lorsqu'elle se glissa hors du lit, enfila son blouson et marcha jusqu'à la porte sur la pointe des pieds en prêtant l'oreille.

Rien. Le silence. Il y avait bien le murmure des infirmières, mais celles-ci semblaient se trouver dans les chambres.

Si seulement elle pouvait atteindre l'ascenseur...

Mais si quelqu'un s'y trouvait? Elle ferait peut-être mieux d'emprunter l'escalier.

Mais il y ferait noir et elle n'avait pas de lampe de poche.

De plus, l'ascenseur était plus rapide.

C'était ce qui comptait.

Son coeur battait la chamade. Ses mains glacées en dépit de la fièvre qui l'assaillait tremblaient lorsqu'elle s'appuya contre le mur et commença à avancer lentement, lentement, dans le couloir.

Elle se mit à claquer des dents et se mordit la langue. Un autre pas, un autre…

— Prends ce côté, je prendrai l'autre, dit une voix que Dominique reconnut.

C'était l'infirmière à la queue de cheval. Sa voix provenait de l'une des chambres.

Dominique avança petit à petit jusqu'à cette chambre. La porte était à moitié ouverte. Si elles la voyaient passer…

Lentement, prudemment, elle regarda dans la pièce. Deux infirmières lui tournaient le dos…

Retenant son souffle, Dominique passa rapidement devant la porte et s'arrêta de l'autre côté, paralysée.

Elles ne l'avaient pas vue.

Respirant normalement, elle continua à avancer à pas de tortue. Après un moment qui lui parut une éternité, elle se retrouva à deux pas de l'ascenseur.

Encore deux pas…

— Tu vas quelque part ? demanda une voix dans son oreille.

Chapitre 20

Dominique figea sur place. Noooon! Pas au moment où elle était *si* près... Un autre pas et elle aurait touché le bouton de l'ascenseur.

Mais maintenant...

À contrecoeur, elle se retourna, amèrement déçue, pour faire face à la personne qui avait gâché son plan.

Louis.

Il fronça les sourcils, l'air inquiet.

— Dominique, je peux dire à te regarder que ta fièvre n'a pas baissé. Qu'est-ce que tu fais hors du lit?

Il avait troqué son uniforme vert contre des jeans et un chandail. Sa journée de travail était terminée, tout comme celle de Mathieu. Pourrait-elle convaincre Louis de l'emmener avec lui?

Dominique, à bout de forces, s'appuya contre le mur.

Louis s'approcha et lui entoura la taille.

— Hé! Détends-toi! Comment se fait-il que tu sois habillée? Pourquoi ne dors-tu pas? Mon Dieu, tu es brûlante! ajouta-t-il soudain. Dominique, tu es folle ou quoi? Tu devrais être au lit.

Elle devait lui faire confiance. Elle n'avait pas le

choix. Si elle ne lui disait pas ce qui se passait, si elle ne parvenait pas à le convaincre que quelqu'un lui voulait du mal, il la raccompagnerait à sa chambre et elle serait de nouveau prisonnière de cet hôpital où elle n'était pas en sécurité.

Louis ne lui ferait pas de mal. Ils étaient amis depuis longtemps. Comment pouvait-elle l'avoir soupçonné?

Elle décida alors de tout lui raconter.

— Louis, écoute, commença-t-elle en s'accrochant désespérément à son bras. Je ne peux pas rester ici. Je dois rentrer à la maison. Je t'en prie, tu dois m'aider. Tu peux me reconduire chez moi. Je t'expliquerai alors à propos du rapport de laboratoire...

— Quel rapport de laboratoire?

— Judith a fait analyser mes capsules dans un laboratoire aujourd'hui et j'avais raison... elles contenaient de la digoxine... le médicament pour le coeur qu'on a perdu. Tu en as entendu parler, n'est-ce pas?

Louis acquiesça.

— Eh bien! quelqu'un l'a pris et l'a mis dans mes capsules. Je disais que je me sentais plus malade, mais personne ne me croyait. J'ai alors demandé à Judith de les faire analyser et elle l'a fait. Le rapport conclut qu'il n'y avait pas d'antibiotiques dans les capsules que je prenais, mais seulement de la digoxine. C'était ça qui me rendait plus malade.

— Dominique... commença Louis d'un ton sceptique.

— Non, écoute, *je t'en prie*! Quelqu'un, ici, essaie de me tuer pour je ne sais quelle raison. Je n'ai pas imaginé l'attaque dans la douche, Louis, comme tout le monde le croit. Ça s'est vraiment produit.

Des larmes de frustration se mirent à couler sur ses joues rouges de fièvre.

— Dominique, calme-toi.

La voix de Louis était douce et tranquille tandis qu'il l'attirait contre sa poitrine.

— Tu dois me croire, Louis. Tu es la seule personne à qui je peux faire confiance.

Louis rougit de plaisir.

— Et si tu me montrais ce rapport de laboratoire?

— Bien sûr. Tiens...

Dominique eut le souffle coupé en glissant la main dans la poche de ses jeans. Elle était vide.

— Le rapport... j'ai dû le laisser sur le lit. Louis, je dois le récupérer. C'est la preuve qu'on a substitué un autre médicament à mes antibiotiques.

Une infirmière sortit d'une chambre et se dirigea rapidement vers le poste des infirmières. Dominique et Louis, toutefois, se trouvaient dans l'ombre et ne se firent pas remarquer.

— Allons chercher le rapport, murmura Louis. Puis, tu le montreras à tes parents. Je vais te raccompagner chez toi si tu es certaine que c'est bien ce que tu désires.

— J'en suis certaine, Louis, oh! j'en suis certaine! Mais... je ne crois pas pouvoir me rendre à l'autre extrémité du couloir encore une fois. Je suis trop fatiguée. Pourrais-tu aller récupérer le rapport? Il se trouve probablement sur mon lit. Je vais attendre ici. Je me cacherai dans ce coin jusqu'à ce que tu reviennes. Dépêche-toi, d'accord? J'ai l'impression que je vais m'évanouir d'une minute à l'autre.

Le doute s'effaça dans les yeux bleus de Louis.

— D'accord. Reste ici, ne bouge pas. Je reviens tout de suite.

Il se précipita dans le couloir tandis que Dominique allait se réfugier derrière une haute colonne blanche qui camouflait une conduite.

C'était presque terminé. Louis allait revenir avec le rapport et la reconduire chez elle ; puis, ses parents prendraient la relève.

On découvrirait l'identité de la personne qui lui voulait du mal et on l'enfermerait.

Soudain, Dominique entendit des voix.

— Je vais m'occuper d'elle, dit l'une d'elles brusquement.

Dominique vit apparaître le visage de l'infirmière en chef. Elle tenait une seringue dans sa main droite.

— Rentre chez toi, Louis. Tu as fait ce qu'il fallait. Cette pauvre enfant ne devrait même pas être hors du lit. Ça ira mieux maintenant, grâce à toi.

Dominique retint son souffle et recula d'un pas.

— Non, non, murmura-t-elle.

Horrifiée, elle fixa Louis d'un air accusateur.

— Tu... tu avais promis !

— Il n'y avait pas de rapport, dit-il.

Ses yeux imploraient son pardon.

— Je te le jure, Dominique ; j'ai regardé partout. Il n'y avait rien !

Dominique continua à reculer jusqu'au moment où elle heurta le mur. L'infirmière avançait toujours, la seringue à la main.

— Appelle Judith ! supplia Dominique en cherchant frénétiquement une issue.

Mais il n'y en avait pas.

— Appelle Judith ! Elle confirmera qu'elle a fait analyser les capsules et que Daniel lui a dit qu'elles contenaient un médicament pour le coeur.

Sa voix se changea en un cri perçant.

— Louis, *appelle-la* !

— Il ne téléphonera à personne à cette heure, Dominique, dit l'infirmière brusquement. Calme-toi et laisse-nous nous occuper de toi. Tu devrais remercier ton ami au lieu de crier comme ça. Il t'a probablement sauvé la vie. Sortir par une nuit froide alors qu'on fait de la fièvre... c'est de la folie !

Quelques secondes plus tard, sa manche fut relevée et l'aiguille lui transperça la chair. Dominique, terrassée par la trahison de Louis, se mit à sangloter.

— Non, non, oh ! non...

L'infirmière et Louis prirent Dominique par le bras et la guidèrent jusqu'à sa chambre.

— Dominique, ne sois pas fâchée, d'accord ? Puisque je ne trouvais pas le rapport, j'ai cru que tu imaginais des choses encore une fois.

— Je te déteste, Louis ! siffla Dominique. Je te déteste d'avoir fait ça ! Je t'ai fait confiance...

Mais les effets du médicament se firent alors sentir. Les lumières dans le couloir se mirent à danser et les murs à valser ; les jambes de Dominique cédèrent.

— Louis, murmura Dominique lorsqu'on la déposa doucement sur le lit, jamais je ne te pardonnerai. Jamais... jamais...

Même s'il n'était pas la personne qui lui voulait du mal, même s'il avait pensé bien faire, même s'il lui disait un million de fois à quel point il était désolé...

Jamais elle ne pardonnerait à Louis.

Plus endormie qu'éveillée, Dominique flottait sur un épais nuage gris. S'efforçant de résister au médicament, elle était couchée sur le dos dans sa chambre obscure, la tête remplie de brouillard, les jambes et les bras lourds comme du ciment.

Flap flap, flap flap...

Des pas s'approchèrent de son lit.

— Qu'est-ce ?... murmura Dominique, abrutie. Qu'est-ce que ?...

Était-ce Louis qui revenait pour s'excuser ?

Il y eut un léger bruissement. Le matelas creusa sous Dominique lorsqu'un poids supplémentaire grimpa sur le lit et s'assit sur l'abdomen de Dominique.

— Qu'est-ce... qu'est-ce qui se passe ?

Elle n'eut ni le temps de crier, ni la chance de se débattre. Sans avertissement, son oreiller fut retiré de sous sa tête. Dominique grogna de surprise lorsque sa tête retomba en arrière sur le matelas.

Puis, on pressa quelque chose de doux, d'épais et d'étouffant sur son nez et sur sa bouche, maintenant l'objet en place avec une grande force.

Dominique Nantel ne pouvait plus respirer.

Chapitre 21

Tandis que l'on pressait cruellement l'oreiller sur le nez et la bouche de Dominique, celle-ci se mit à agiter frénétiquement les bras.

Elle empoigna l'oreiller qui lui couvrait le visage, s'agrippant au tissu et tirant, tandis que son corps tout entier remuait et se soulevait afin de déloger le poids qui la maintenait couchée.

Mais c'était inutile. Affaiblie par la maladie, Dominique, dont les réflexes étaient au ralenti à cause du sédatif qu'on lui avait administré, n'avait pas plus de force qu'un petit enfant.

Des cris de panique restaient bloqués dans sa gorge.

De l'air… de l'air… il n'y avait pas d'air.

Non non non… C'était impossible… elle ne pouvait pas mourir maintenant… pas maintenant.. pas encore…

Abandonnant son combat inutile contre l'oreiller, elle agita les bras et sa main heurta la table de chevet. La table… Ses doigts en inspectèrent la surface et touchèrent quelque chose de froid et de dur… la lourde carafe en métal qui contenait de l'eau.

Des taches rouges et violettes dansaient devant les

yeux de Dominique. La douleur dans sa poitrine était intolérable. Ses poumons allaient exploser...

Ses doigts se refermèrent sur la poignée de la carafe, l'agrippant fermement.

Mais son bras... son bras n'avait pas de force. Faibles et drogués, ses muscles refusaient d'exécuter ce que son cerveau, désespéré, leur ordonnait de faire.

Les taches s'intensifièrent, le nuage rouge et violet se changeant en jaune vif... Elle allait perdre connaissance.

« Bouge ! » cria-t-elle intérieurement au bras qui tenait la carafe.

Son bras bougea. Elle le leva haut dans les airs et abaissa la carafe à l'aveuglette.

Il y eut un bruit répugnant lorsque la carafe frappa un crâne. Un grognement de douleur étonné résonna dans la chambre et le poids sur les jambes et le ventre de Dominique chancela. La pression de l'oreiller sur son visage se fit moins grande.

Dominique suffoquait. Elle savait qu'elle n'avait que quelques secondes pour agir — son agresseur n'avait pas perdu connaissance. Dans une seconde ou deux, l'attaque reprendrait avec une vigueur renouvelée. Il fallait bouger *maintenant*.

Dominique poussa l'oreiller vers le haut et l'éloigna de son visage. Elle ne pouvait voir qu'une silhouette assise sur elle.

Haletante, Dominique leva les jambes et fit perdre l'équilibre à son agresseur, qui tomba sur le sol en poussant un gémissement. Il y eut un craquement, puis le silence envahit la chambre.

Enfin libre, Dominique sauta en bas du lit. En titubant, elle se dirigea vers la porte et hâta le pas en entendant une plainte.

Dans le couloir, tout était calme comme... la mort...

Étourdie et hébétée, Dominique avança en vacillant, s'appuyant au mur. Le gémissement signifiait que son attaquant avait repris connaissance. À tout instant, maintenant, quelqu'un allait se lancer à sa poursuite et elle marchait si lentement... si lentement...

Si seulement elle pouvait se rendre à l'escalier, ouvrir la lourde porte et la refermer derrière elle avant que quelqu'un ne la voie...

Cependant, il n'y aurait pas de mur pour la supporter lorsqu'elle marcherait vers la porte. Et si elle tombait ? Une chute anéantirait toute chance de fuite.

« Je ne tomberai *pas* », se dit-elle.

Et elle ne tomba pas. Toutefois, elle crut, durant de longues et terribles secondes, qu'elle ne parviendrait pas à ouvrir la lourde porte.

Pourtant, elle y arriva et se tint sur le palier, observant la porte qui mettait un temps fou à se refermer. Elle était maintenant hors de vue. Si son agresseur s'était aventuré dans le couloir, il ne trouverait aucune trace de Dominique.

Maintenant, il lui fallait descendre et trouver une porte qui menait à l'extérieur et... à la liberté.

Elle se trouvait au quatrième étage. Mieux valait ne pas sortir au rez-de-chaussée ; un garde de sécurité était posté à la porte et la renverrait à sa chambre et... entre les mains de son agresseur.

Elle ferait mieux de continuer jusqu'au sous-sol. Elle y trouverait bien une porte.

Si elle pouvait se rendre jusque-là sans tomber…

Elle avait du mal à voir les marches… Elle était si étourdie, avait si mal à la tête et dans la poitrine… Mais vite, vite…

Elle atteignait le palier du deuxième étage lorsqu'elle entendit le bruit de la lourde porte qui s'ouvrait au-dessus d'elle.

Dominique figea.

La lumière du couloir baigna l'escalier d'une pâle lueur jaune tandis que la porte était maintenue ouverte.

Dominique se blottit contre le mur afin de ne pas se faire voir.

La pâle lueur s'évanouit graduellement lorsque la porte se referma.

Un doux bruit de pas qui descendaient rapidement résonna dans l'escalier.

Son poursuivant était arrivé.

Dominique réprima un sanglot de terreur et continua à descendre l'escalier, son coeur battant à tout rompre. Ses jambes étaient lourdes et tremblantes. Elle heurta la rampe d'acier à quelques reprises, se cognant un coude et un poignet, mais elle continua à avancer, à bout de souffle.

Derrière elle, le bruit de pas doux et menaçants résonnait toujours.

Chapitre 22

Dominique posa le pied trop fort sur la dernière marche menant au sous-sol et, secouée, elle faillit tomber à genoux. Retrouvant son équilibre, elle repéra une porte à l'extrémité d'un long corridor étroit aux murs de ciment. Seul un petit fluorescent fixé au plafond éclairait le corridor, qui n'était pas chauffé. Il y faisait très froid.

Dominique décida d'aller vers la porte. Bien qu'elle frissonnât tout en courant d'un pas saccadé, l'air froid et humide l'aida à reprendre ses sens. Elle *allait* réussir.

Le *flap flap* dans l'escalier derrière elle s'approcha. Dominique entendit un nouveau bruit... un joyeux fredonnement... son poursuivant fredonnait !

Quel genre d'individu fredonnait en allant tuer quelqu'un ?

Était-il si certain qu'il l'attraperait ?

Cela la rendit furieuse et elle accéléra légèrement le pas.

Il fallait que la porte soit ouverte. Il le *fallait* !

Elle l'était. Dominique l'atteignit au moment même où les pas feutrés derrière elle quittaient l'escalier et touchaient le sol de ciment.

Mais dans une seconde, elle serait à l'extérieur.

Son agresseur la suivrait-il jusque-là ?

Aurait-il le sentiment, tout comme elle, que, si elle parvenait à sortir dehors, elle aurait gagné ? Abandonnerait-il alors ?

Ou trouverait-il un moyen de la tuer, même à l'extérieur ?

Le fredonnement derrière elle devint plus clair et les pas s'approchèrent.

— Dominique, murmura une voix, laisse tomber. Tu ne peux pas m'échapper. Laisse tomber maintenant.

Laisser tomber ? Jamais !

Elle referma sa main sur la poignée et la tourna d'un coup sec. La porte s'ouvrit.

Mais... elle ne donnait pas sur l'extérieur.

Une amère déception s'empara de Dominique tandis qu'elle refermait la porte derrière elle et fixait la salle blanche et froide : des carreaux blancs, des murs blancs, un plafond blanc. Seule une lumière fixée en haut sur le mur du fond jetait des ombres jaunâtres sur toute cette blancheur. L'espace au milieu de la salle vaste et carrée était occupé par trois tables roulantes. Le mur le plus près de Dominique était tapissé, du sol jusqu'au plafond, de petites portes en métal à loquet.

C'est alors que Dominique, le souffle coupé par l'horreur, comprit qu'elle se trouvait à la morgue.

Elle était dans la pièce où l'on emmenait les patients qui étaient morts. Louis lui avait raconté que les cadavres étaient conservés sur des tables qui glissaient à l'intérieur et à l'extérieur de petits cabinets en métal.

— Oh non ! sanglota-t-elle doucement en se couvrant le visage de ses mains. Oh mon Dieu ! je ne veux pas être ici !

Mais lorsqu'elle se retourna pour sortir, la poignée de la porte tournait déjà. Une seconde plus tard, la porte s'ouvrit.

Cynthia Blais se tenait sur le seuil.

Elle portait toujours son uniforme bleu et avait noué ses cheveux ; son visage délicat était pâle et elle avait les traits tirés. Elle fixa Dominique d'un air inquiet. Elle tenait une épaisse pile de serviettes grisâtres.

— Dominique, mais qu'est-ce que tu fais donc ici ? s'écria-t-elle.

Soulagée, Dominique s'appuya contre le mur.

— Je n'ai jamais été si heureuse de voir quelqu'un de ma vie ! dit-elle. Tu n'as pas croisé quelqu'un en venant ici ? murmura-t-elle en jetant un coup d'oeil nerveux dans la direction de la porte.

— Dominique, il est presque une heure du matin. Les gens sains d'esprit ne flânent pas dans les corridors du sous-sol à cette heure. Qu'est-ce que tu fais ici ?

« Elle peut me raccompagner chez moi, pensa Dominique. Je serai alors en sécurité. »

— Reconduis-moi à la maison et je te raconterai. Je sais que ça paraît ridicule, mais je dis la vérité et tu dois me croire. Raccompagne-moi, Cynthia, je t'en prie…

Cynthia leva les mains en signe d'abandon.

— D'accord, tu as gagné. Nous en avons tous assez d'essayer de te réconforter alors que tu es persuadée que quelqu'un te veut du mal. Autant te raccompagner chez toi. J'ai terminé, alors je…

Elle s'interrompit.

— Dominique ? Qu'est-ce qu'il y a ?

Dominique, immobile contre les portes en métal, fixait, toute pâle, le poignet gauche de Cynthia.

À l'endroit où la manche de son uniforme finissait, se trouvait une vilaine coupure en dents de scie longue de plusieurs centimètres qui semblait assez récente.

— Cynthia ? demanda Dominique. Comment t'es-tu fait cette coupure ?

Cynthia soupira et esquissa un sourire, le regard soudain glacial.

— Je me suis fait ça dans la douche, dit-elle d'un ton léger.

Son sourire s'élargit.

— Je ne sais pas pourquoi on appelle ces trucs des rasoirs de sûreté. Et toi, Dominique ? De toute évidence, ce rasoir n'avait rien d'inoffensif.

Et elle se mit à avancer lentement vers Dominique, l'air déterminée.

Chapitre 23

— Toi ? demanda Dominique d'une voix rauque en se blottissant contre le mur de métal. C'est toi qui... dans la douche... non...

Elle secoua la tête. Ses cheveux cannelle semblèrent se dresser sur sa tête.

— Non... nous sommes amies, Cynthia. Je ne t'ai jamais rien fait. Pourquoi ?...

— À cause de Christophe, bien sûr.

Cynthia glissa une main dans la poche de son uniforme bleu.

— Christophe ?

La confusion se lisait sur le visage rougi de fièvre de Dominique.

— Je ne comprends pas.

La main de Cynthia bougeait à l'intérieur de sa poche, comme si elle tripotait quelque chose.

— Tu es la seule qui sait ce qui lui est vraiment arrivé.

Elle haussa les épaules.

— Tu ne le sais pas encore, bien sûr, mais tu le découvriras bientôt. Lorsque ta fièvre sera complètement tombée, tu comprendras probablement la signification de ce que tu as vu et entendu dans ta chambre cette nuit-là.

De nouveau, elle haussa les épaules.

— Je ne peux pas courir ce risque.

Dominique se lécha les lèvres nerveusement.

— Cynthia, je ne sais pas de quoi tu parles. Rien n'est arrivé à Christophe. Il va bien. Il a téléphoné ici pour me parler.

Cynthia sourit d'un air narquois.

— Ne sois pas ridicule. Il n'a pas appelé. Ce n'était qu'une rumeur. Et devine qui l'a lancée ?

Son visage s'éclaira.

— Tout ce que j'ai eu à faire, c'est de *dire* qu'il avait téléphoné de la Californie. La rumeur s'est répandue dans l'hôpital en un rien de temps. Et tu as cru mon histoire, comme tout le monde.

Dominique eut un haut-le-coeur. La pièce était si blanche... si blanche... et si froide... Cynthia, le visage pâle et glacial, s'harmonisait bien avec le décor.

— Christophe n'a jamais téléphoné ? murmura Dominique.

Cynthia secoua la tête.

— Bien sûr que non. Comment aurait-il pu ?

Dominique ne voulait pas savoir pourquoi Christophe n'avait pas pu appeler. Ne voulait pas savoir... ni entendre...

— Tu as mis l'affiche « en panne » sur le mauvais ascenseur ? Tu m'as fait dévaler la colline en fauteuil roulant et tu m'as attaquée dans la douche ? C'était toi depuis le début ?

— Tu as mis du temps à t'en apercevoir, dit Cynthia. Peut-être que cette fièvre a fait baisser ton quotient intellectuel, Dominique. Qu'est-ce que tu *crois* avoir entendu dans ta chambre cette nuit-là ? J'ai essayé d'être silencieuse, mais Christophe... ne coopérait pas.

Sa voix était tout à fait froide, désinvolte, insensible. Cynthia... si gentille, si prévenante, si dévouée... Cynthia... pas Louis, ni Mathieu, ni Amélie... C'était Cynthia qui avait tenté de la tuer.

Mais *pourquoi* ?

Christophe... cela avait quelque chose à voir avec Christophe, qui se trouvait maintenant en Californie.

Comment cela était-il possible ?

Dominique chercha frénétiquement un moyen de s'enfuir de la pièce. Mais la seule sortie était la porte par laquelle elle était entrée.

Et Cynthia lui bloquait le passage.

— Dominique, dit Cynthia doucement en s'approchant de sa prisonnière, ne veux-tu pas que je te rafraîchisse la mémoire à propos de Christophe ?

Les yeux de Dominique, écarquillés d'horreur, fixaient la main de Cynthia. Les dents serrées pour éviter de se couper la langue en deux, elle secoua vigoureusement la tête. Non... Non !

— Tu devrais avoir honte, Dominique. Christophe était l'un de tes meilleurs amis. J'aurais cru que tu t'inquiéterais plus que ça à son sujet.

Comme le soupçonnait Dominique, Cynthia tenait quelque chose dans sa main. Les yeux terrifiés de Dominique demeuraient rivés sur la main qui se glissait hors de la poche.

Les doigts de Cynthia étaient refermés sur une longue et redoutable seringue hypodermique.

— Je vais quand même te raconter ce qui s'est passé, dit Cynthia en souriant tandis qu'elle tenait l'aiguille menaçante haut dans les airs.

Elle regarda autour d'elle dans la pièce.

— Je crois que c'est vraiment l'endroit approprié.

Son sourire glacial s'élargit.

— Parce que c'est ici que je l'ai emmené après l'avoir tué.

Chapitre 24

— Je l'ai tué, Dominique, répéta Cynthia en voyant que Dominique demeurait silencieuse. Et je l'ai emmené ici.

Dominique n'avait émis aucun son parce qu'elle en était incapable. Sa voix l'avait abandonnée à l'instant même où elle avait entendu la déclaration de Cynthia.

Tué ? Elle avait *tué* Christophe ?

Non. Non, ce n'était pas vrai. C'était impossible.

Pourtant, Dominique vit l'expression cruelle, sévère et méchante sur le visage de Cynthia.

Christophe... Christophe ne se trouvait pas en Californie ? Il ne pensait pas à lui téléphoner ni à lui écrire une longue lettre lui racontant son voyage d'un océan à l'autre ?

Christophe était...

Christophe était... *mort* ?

Dominique ouvrit grande la bouche et son cri perçant et angoissé fendit l'air.

— Non, cria-t-elle en faisant face à Cynthia, les yeux remplis de larmes. Non, tu n'aurais pas pu. Tu n'aurais pas fait ça. Pourquoi l'aurais-tu fait ? *Pourquoi ?*

Cynthia avait tressailli lorsque Dominique avait crié, reculant d'un pas. Maintenant, elle s'approchait de nouveau.

— Parce qu'il savait, répondit-elle calmement.

Dominique était incapable de cesser de pleurer. Christophe… Christophe, mort ?

— Savait quoi ? Qu'est-ce qu'il savait ?

— Que monsieur Lanthier est mort à cause de moi.

Dominique secoua la tête, essayant de s'éclaircir les idées.

— Lanthier ? Victor Lanthier ? Tu l'as tué lui *aussi* ?

— Je ne l'ai pas *tué*, Dominique, dit Cynthia d'une voix nasillarde en baissant le ton. C'était un accident. Mais cela n'aurait fait aucune différence aux yeux du conseil de l'hôpital.

Ses lèvres minces formèrent une grimace de colère.

— Ils auraient tout fait pour que je ne sois jamais admise dans une école de médecine, malgré le fait que j'étudie à en perdre la tête et que je sois une bonne employée. Ils n'auraient retenu qu'une chose : leur précieux bienfaiteur était mort et c'était ma faute. Toute ma vie aurait été gâchée. Pour toujours !

— Qu'est-ce que tu as fait à Victor Lanthier, Cynthia ?

Dominique dut faire un effort pour prononcer ces mots. Étourdie et nauséeuse, elle ne pouvait supporter d'en entendre davantage. Mais il fallait qu'elle sache.

— Rien, je le jure, rien ! Un jour, j'ai lu son dossier. Je sais que c'est absolument interdit, mais je savais à quel point monsieur Lanthier était important aux yeux du conseil de l'hôpital. J'ai cru qu'en lisant son dossier, je trouverais des informations qui me permettraient de me rapprocher de lui et de m'attirer son amitié. Je croyais qu'il pourrait ainsi dire un bon mot pour moi dans toutes les écoles de médecine du pays.

Elle adopta un ton maussade.

— Mon plan aurait fonctionné; une note dans son dossier mentionnait qu'il lui était interdit de fumer. Je l'entendais se plaindre et dire que ses cigares lui manquaient; j'avais donc décidé de lui en acheter et de les lui remettre en cachette. Il m'aurait alors considérée comme sa meilleure amie.

Les yeux bleu pâle de Cynthia étincelèrent de rage.

— Mais Christophe s'en est mêlé. Il était venu livrer une paire de chaussures à cette idiote d'infirmière à la queue de cheval. Il m'a fait remarquer que j'étais trop curieuse et j'ai remis le dossier à sa place. Mais pas avant que Christophe n'ait pu lire le nom sur le dossier.

— Lanthier? a-t-il dit. N'est-ce pas ce gros bonnet qui habite le manoir sur le chemin de la rivière?

Cynthia tapa du pied, cessant momentanément de fixer Dominique.

— Il a également vu l'autocollant d'avertissement.

— L'autocollant d'avertissement?

— Monsieur Lanthier était allergique à la pénicilline. L'hôpital appose un petit autocollant rond et rouge sur le dossier des patients qui souffrent d'allergies graves. Christophe l'a vu. Je sais qu'il aurait vite sauté aux conclusions en apprenant la mort de monsieur Lanthier.

« Elle a raison, se dit Dominique. C'est ce que Christophe aurait fait. Il serait allé trouver Cynthia et lui aurait posé des questions. »

— Qu'as-tu fait à monsieur Lanthier ? répéta-t-elle dans un murmure.

— Je n'ai pas remis son dossier au bon endroit. C'est la faute de Christophe, affirma Cynthia, l'air renfrogné. Ça m'a fait paniquer de le voir m'espionner comme ça et j'ai simplement laissé tomber le dossier dans un casier.

— Tu as remis le dossier au mauvais endroit ?

Dominique secoua la tête, perplexe.

— Mais tu m'as dit toi-même que les infirmières vérifient toujours les noms sur les dossiers. Comment cela a-t-il pu entraîner la mort de monsieur Lanthier ?

Cynthia fit la moue d'un air méprisant.

— Elles sont *supposées* vérifier les noms, dit-elle d'un ton dur et impitoyable. Mais parfois, quand nous sommes débordées, nous ne le faisons pas. Accidentellement, j'ai rangé le dossier de monsieur Lanthier dans le casier de madame Caron, une patiente à qui l'on administrait de la pénicilline pour traiter une infection. La nuit où monsieur Lanthier est mort, quelques infirmières ne s'étaient pas présentées au travail parce qu'elles avaient la grippe. Les deux infirmières qui sont venues remplacer ne connaissaient pas bien les patients. L'une d'elle a administré la pénicilline à monsieur Lanthier. Il en est mort. Il allait tellement mieux qu'il n'était plus branché au moniteur cardiaque. Lorsqu'une infirmière est retournée le voir plus tard, il était déjà décédé.

— Et… et Christophe a dit que c'était ta faute, murmura Dominique.

— Mais ça ne l'était pas ! L'infirmière qui avait le

dossier de madame Caron doit l'avoir remis dans le seul casier vide quand elle l'a rapporté, sans vérifier le numéro de chambre. Ce casier était celui de monsieur Lanthier. Plus tard, elle donna donc la pénicilline à monsieur Lanthier et quitta la chambre. Elle a été blâmée pour ce qui est arrivé.

— Christophe voulait que tu avoues ce qui s'était réellement passé, n'est-ce pas ? demanda Dominique.

— Il a dit que je devais aller voir le directeur de l'hôpital, le docteur Couture, et tout lui raconter. « Tire cette infirmière de ce mauvais pas », voilà ce qu'il m'a dit. Mais, bien sûr, je ne pouvais pas le faire, continua Cynthia d'un ton neutre.

Elle écarquilla les yeux.

— Comment aurais-je pu ? J'aurais tout gâché en avouant la vérité. On m'aurait congédiée pour avoir regardé dans le dossier et jamais je n'aurais été admise dans une école de médecine.

Elle abaissa tristement les paupières.

— Sans école de médecine, ma vie serait ruinée. J'ai tenté d'expliquer cela à ton Christophe chéri, mais il n'a pas voulu m'écouter. De plus, les héritiers de monsieur Lanthier ont intenté des poursuites contre l'hôpital. J'aurais été blâmée pour ça également. Tout le monde ici m'aurait détestée.

— Cynthia, murmura Dominique, où est Christophe ?

Écarquillant les yeux de frayeur, elle promena son regard dans la pièce.

— Se trouve-t-il quelque part dans cette salle ?

— Non. Je ne pouvais pas le laisser *ici*, Dominique. Quelqu'un l'aurait découvert ! Je devais l'emmener ailleurs.

C'est d'un ton plein de fierté que Cynthia continua ses révélations.

— Ton ami et sa voiture sont dans la vieille carrière, annonça-t-elle.

Chapitre 25

— La carrière ?

La voix de Dominique était à peine audible. En imaginant son ami reposant dans les eaux froides et boueuses de la carrière, elle frissonna.

— Oui.

Le regard de Cynthia se fixa quelque part au-dessus de la tête de Dominique et prit une expression rêveuse.

— Ce fut si facile. Il quittait vraiment la ville, Dominique. Louis disait la vérité. La voiture de Christophe était chargée et il était prêt à partir pour la Californie. Toutefois, il s'est d'abord arrêté ici pour te dire au revoir et, continua-t-elle avec amertume, pour me prévenir que, si je ne promettais pas d'aller raconter la vérité au docteur Couture, il irait lui-même après t'avoir vue.

Elle posa de nouveau son regard sur Dominique.

— Il allait me dénoncer, Dominique, dit-elle d'un ton offensé. Je ne pouvais pas le laisser faire, n'est-ce pas ?

— Qu'est-ce… qu'est-ce que tu as fait ?

Dominique, qui pleurait la perte de Christophe, savait qu'elle ne sortirait pas de cette pièce vivante.

Elle devait gagner du temps et faire parler Cynthia jusqu'à ce qu'elle puisse réfléchir... réfléchir... comment pouvait-elle réfléchir alors que tout son esprit était aux prises avec l'horrible réalité de la mort de Christophe ?

— Je lui ai dit que j'irais voir le docteur Couture, mais que je l'accompagnerais d'abord à ta chambre. C'est ce que j'ai fait.

Cynthia sourit.

— Cependant, j'ai saisi une seringue vide en quittant le poste des infirmières. Je savais exactement ce que j'allais en faire, dit-elle avec fierté. Je lis beaucoup de manuels de médecine, tu sais. Il y a un endroit dans la nuque...

— Je ne veux pas savoir ! hurla Dominique. Ne me dis rien !

Elle se remit à pleurer. Christophe... elle ne le reverrait plus jamais, ne lui parlerait plus jamais. Comment était-ce possible ?

Sa main gauche heurta involontairement le loquet de l'une des portes en métal. Les tables à l'intérieur des cabinets avaient été conçues pour glisser à l'extérieur. C'est Louis qui le lui avait dit. Glissaient-elles lentement ? Ou sortaient-elles à toute vitesse, comme des luges sur une pente glacée ? Elle n'avait aucun moyen de le savoir. Pouvait-elle risquer le coup ? C'était si difficile de réfléchir... si difficile de prévoir... Mais elle voulait *vivre*, tandis que cette folle au regard enragé et au visage blême voulait la voir morte.

— Ton ami Christophe avait si hâte de te voir, poursuivit Cynthia. Il m'a suivie jusqu'à ta chambre comme un petit chien obéissant. Tu dormais profondément et il ne voulait pas te réveiller. Il a dit qu'il n'était pas très pressé et qu'il s'assoirait sur l'autre lit en attendant ton réveil.

Cynthia fit la grimace.

— Il prétendait ne pas pouvoir quitter la ville sans te dire au revoir. N'est-ce pas *mignon* ?

Dominique était malade d'angoisse en imaginant Christophe assis sur un lit dans sa chambre, attendant patiemment qu'elle se réveille, tandis que Cynthia s'apprêtait à lui percer le cou à l'aide d'une seringue remplie d'air. Si seulement elle avait pu empêcher cela, si elle avait pu appuyer sur la sonnette.

— Mais il a vu l'aiguille, continua Cynthia d'un ton acerbe. Il faisait noir, mais il a tout de même compris ce que je me préparais à faire. Il était assis sur l'autre lit et je suis arrivée par derrière. Il m'a vue lever l'aiguille dans les airs et il a émis quelques sons...

Dominique eut un haut-le-coeur et ferma les yeux.

— Je l'ai manqué au premier essai.

Il y avait du regret dans sa voix.

— Que j'ai été maladroite ! Durant une minute, j'ai cru qu'il allait s'enfuir.

Son visage s'éclaira alors.

— Mais il ne l'a pas fait. Je lui ai fait un croc-en-jambe, raconta-t-elle gaiement, et il est tombé à genoux. Il a alors gémi.

Cynthia imita la voix grave de Christophe.

— Je t'en prie, non, ne fais pas ça ! Mais je l'ai eu ! dit-elle.

Sa voix était triomphante, presque jubilante.

Cette joie remua quelque chose en Dominique. Sa peur céda bientôt place à la colère. Cynthia était *contente* d'avoir tué Christophe ! Et elle s'apprêtait à tuer de nouveau.

— Non ! Non, non, non ! hurla Dominique.

Ses cris résonnèrent dans la pièce ; elle leva les bras et poussa Cynthia de toutes ses forces, la projetant en arrière ; Cynthia chancela, bouche bée.

Mais elle demeura debout et ne laissa pas tomber la seringue.

Toutefois, Dominique profita de son étonnement pour s'éloigner, courant vers le bureau afin d'y chercher une arme : un coupe-papier, des ciseaux, n'importe quoi...

Il n'y avait rien. Une boîte de trombones, une lampe, des piles de cahiers de notes et de prospectus, des crayons et des stylos éparpillés... rien qui ne soit le moindrement menaçant. Cependant, dans un coin, derrière un épais manuel de médecine, se trouvait... une bombe aérosol contenant de l'insecticide. Peut-être...

Dominique se retourna pour faire face à son attaquante. Derrière elle, ses mains se refermèrent sur la bombe.

— Calme-toi, Dominique, dit Cynthia tranquillement.

Elle se mit à avancer lentement, le regard froid et déterminé.

— Tu vas avoir un petit accident, dit-elle, et ce ne sera pas ma faute. Je vais me contenter de te raccompagner chez toi. N'est-ce pas aimable de ma part ? Bien sûr, je ne serai pas blessée. Mais toi...

Elle secoua la tête.

— Tu finiras dans un fossé le long de la route suite à un terrible accident de voiture. Je dirai à tout le monde que tu as saisi le volant, que Christophe te manquait tellement que tu as voulu te suicider. On me croira. Tout le monde pense que tu es cinglée, Dominique. Je dirai que, puisque moi, je ne suis pas folle, j'ai eu assez de jugement pour descendre de la voiture avant qu'elle ne prenne feu.

Elle leva la seringue plus haut.

— Et jamais on ne découvrira que tu étais morte avant même que la voiture ne quitte la route.

Sans cesser de fixer Cynthia, Dominique se déplaça latéralement dans la direction du mur tapissé de portes en métal. Elle s'appuya contre le mur, les mains dans le dos. Cette fois, elle trouva un loquet et l'ouvrit. Il n'y eut aucun son.

— Après avoir tué Christophe, continua Cynthia, je l'ai emmené ici sur une civière. Puis, plus tard, quand tout le monde fut parti, je l'ai transporté à sa voiture et j'ai conduit jusqu'à la carrière.

Elle soupira gaiement.

— On ne retrouvera jamais Christophe, ni sa voiture. La carrière est trop profonde. Il a coulé à pic, murmura-t-elle au bout d'une minute. J'ai mis quarante-cinq minutes pour revenir en ville. J'étais épuisée !

Dominique, les mains derrière le dos, tenait la bombe d'insecticide dans une main. De l'autre, elle souleva le loquet d'une porte en métal. La porte s'ouvrit facilement et sans un bruit. Elle tira doucement. La porte avança imperceptiblement.

— Tu es folle, dit-elle à Cynthia d'une voix chevrotante.

Si elle parlait, elle espérait que Cynthia continuerait

à regarder son visage au lieu de se demander pourquoi ses mains étaient derrière son dos.

— Tu es malade. Tu as besoin d'aide. Pourquoi ne me laisses-tu pas partir maintenant? supplia-t-elle en rivant ses yeux sur ceux de Cynthia. Nous irons parler au docteur Couture. Il verra à ce que tu reçoives l'aide dont tu as besoin.

Si elle voulait ouvrir la porte toute grande, elle devait avancer de plusieurs centimètres. Cynthia, cependant, lui bloquait le passage.

Les joues de Cynthia rougirent de colère.

— Je n'irai voir personne! cria-t-elle. Je n'ai pas besoin d'aide! C'est toi qui en as besoin!

Elle leva la seringue haut dans les airs, juste au-dessus de la tête de Dominique.

C'était le moment ou jamais. Dominique leva la main qui tenait la bombe et appuya sur le bouton.

Cynthia cria lorsque le nuage malodorant lui toucha les yeux. Oubliant qu'elle tenait toujours la seringue dans sa main, elle porta instinctivement les mains à son visage.

L'aiguille pénétra avec force dans le haut de sa joue, manquant son oeil par quelques millimètres. Cette fois, le cri de Cynthia en était un de douleur. Un filet de sang se mit à couler sur sa joue tandis que l'aiguille demeurait fixée à son visage, tel un poignard.

De nouveau, Dominique eut la nausée, mais elle savait qu'elle n'avait pas de temps à perdre à sympathiser avec Cynthia. Celle-ci, furieuse, n'allait sûrement pas abandonner maintenant.

De sa main libre, Dominique ouvrit la porte du cabinet et, s'écartant, saisit le bout de la table et tira.

La table sortit vivement, heurtant Cynthia qui couvrait toujours son visage de ses mains. La table la frappa à la hauteur de la ceinture et la souleva. Elle fut projetée dans les airs, puis en avant et retomba en poussant un cri, le visage contre la table. Elle cria de nouveau et s'évanouit.

Le poids de son corps retombant sur la table entraîna celle-ci dans les profondeurs du cabinet.

Dominique referma doucement la porte. Puis, ses jambes cédèrent et elle s'écroula sur le carreau blanc et froid, se couvrant les yeux de ses mains.

Chapitre 26

Lorsque Dominique se réveilla dans son lit d'hôpital le lendemain matin, quatre paires d'yeux inquiets la fixaient. Mathieu et Amélie se tenaient d'un côté du lit, Louis et Judith, de l'autre. La vue du petit groupe la tira brusquement du sommeil.

Soudain, elle se rappela. Elle se souvenait de tout : l'oreiller sur son visage, son combat désespéré pour se libérer, le corps tombant sur le sol ; puis, son expédition jusqu'au sous-sol froid et sombre, l'arrivée de Cynthia à la morgue et... Christophe... Christophe ! Il était...

Étouffant un gémissement de détresse, Dominique enfouit son visage dans ses mains.

Ses amis s'approchèrent. Amélie s'empressa de lui verser un verre d'eau, Mathieu s'installa aussi près d'elle qu'il le put, tandis que Louis et Judith observaient la patiente d'un air soucieux.

Mathieu fut le premier à parler. Il avait l'air fatigué et on pouvait remarquer des cernes bleuâtres sous ses yeux.

— Je suis désolé à propos de ton ami, dit-il.

Dominique leva la tête.

— Vous savez ? Vous savez à propos de Christophe ? Comment l'avez-vous appris ?

— C'est toi qui nous l'as dit. Ce fut pénible, mais tu l'as fait.

Dominique écarquilla les yeux de frayeur. Elle s'agrippa à la manche du chandail de Mathieu, prise de panique.

— Cynthia ? demanda-t-elle.

— Ça ira, Dominique, se hâta de la rassurer Judith. On l'a emmenée. Elle est partie. Tu n'as plus à t'en faire à son sujet.

Dominique poussa un soupir de soulagement.

— Ton médecin est venu tout à l'heure, lui dit Mathieu. Il te fera subir d'autres examens cet après-midi pour s'assurer que la digoxine n'entraînera pas de séquelles. Il se sent vraiment coupable de ne pas t'avoir crue, Dominique. Tout le personnel se sent coupable.

— C'est ta fièvre qui a trompé tout le monde, ajouta calmement Amélie. Personne ne pouvait être certain que tu ne délirais pas. Nous sommes tous désolés de ne pas t'avoir crue. Quant à moi, je suis navrée d'avoir perdu mon sang-froid. Tu dois me détester.

— Non, dit Dominique en secouant la tête. C'était la faute de Cynthia.

Ses yeux se remplirent de larmes.

— Elle a tué Christophe...

Elle s'arrêta, incapable de poursuivre.

— On l'a trouvé tôt ce matin, annonça Mathieu d'une voix douce en lui prenant les mains et en les serrant fort.

Dominique se mit à sangloter. Un silence triste et rempli de sympathie envahit la pièce.

Dominique s'essuya les yeux avec le coin de son drap.

— Qui m'a trouvée ?

— C'est nous, répondirent Judith et Louis en choeur. Et Mathieu. C'était son idée d'aller voir à la morgue.

— Louis m'a téléphoné, expliqua Judith. Il m'a interrogée au sujet de l'analyse des capsules effectuée par Daniel.

Dominique posa son regard sur Louis. Il l'avait pris au sérieux, après tout. Mais trop tard. Il avait probablement voulu bien faire en revenant avec l'infirmière. Toutefois, elle n'éprouverait plus jamais la même chose pour lui et elle sut en voyant l'expression de son regard qu'il l'avait compris.

— J'ai dit à Louis, poursuivit Judith, qu'il s'agissait d'une plaisanterie, mais il a insisté. Je lui ai finalement dit ce que Daniel avait trouvé et Louis a crié que tu avais raison avant de raccrocher. C'est à ce moment que j'ai compris que ce n'était pas une plaisanterie. Je savais que tu avais des ennuis, Dominique.

Ses yeux violets trahissaient sa peine.

— Pourquoi ne pas m'avoir dit la vérité ? J'aurais pu t'aider.

— Mais tu serais également devenue une cible. Tu es donc venue à l'hôpital hier soir ?

Judith acquiesça.

— Je ne me sentais vraiment pas bien... J'avais terriblement mal à la tête. Mais lorsque Louis a raccroché brusquement, j'ai su que quelque chose n'allait pas. Je me suis donc habillée et précipitée ici. En arrivant au quatrième étage, j'ai trouvé Louis, Mathieu et Amélie qui te cherchaient partout.

— Nous savions que tu t'étais battue avec quelqu'un, dit Louis. Ta chambre était sens dessus dessous. Nous nous sommes donc mis à ta recherche. C'est Mathieu qui a eu l'idée d'aller au sous-sol.

— Nous t'avons trouvée sur le plancher, pleurant ton ami, continua Mathieu. Nous ne comprenions pas du tout et, au début, tu étais incapable de nous dire ce qui s'était passé.

— Mais tu y es finalement parvenue, dit Amélie. Ton récit était très incohérent et nous avons mis du temps à comprendre que Cynthia se trouvait derrière l'une des portes.

Amélie était très pâle.

— C'est Mathieu qui l'a trouvée et il ne nous a pas laissées la voir, Judith et moi, ajouta-t-elle d'un ton reconnaissant.

— Quand je vous ai dit ce que Cynthia avait fait, pourquoi m'avez-vous crue ? Vous auriez pu penser que c'était moi qui l'avais attaquée, que j'avais finalement perdu complètement la raison et que je l'avais poursuivie avec une seringue.

— Nous savons que tu ne ferais jamais une chose pareille, s'empressa de répondre Judith. De plus, j'étais au courant à propos de la digoxine. Nous savions tous que Cynthia avait accès à tes capsules.

— Nous avons appelé la police, ajouta Louis, et des plongeurs se sont rendus à la carrière.

Il hésita avant de continuer.

— Ils ont trouvé Christophe immédiatement, dit-il à contrecoeur. Il était toujours dans sa voiture.

Dominique eut le souffle coupé par la douleur. Elle se remit à pleurer doucement, ignorant les larmes qui ruisselaient sur ses joues.

— Je ne peux pas croire qu'il est mort, murmura-t-elle. Qu'est-ce que je vais faire sans lui ?

Il y eut un silence triste et embarrassé.

— Nous serons là, Dominique, dirent Judith et Louis à l'unisson.

— Moi aussi, ajouta Amélie de sa voix douce.

Mathieu serra les mains de Dominique encore plus fort et plongea son regard dans le sien.

— Je ne peux pas remplacer ton ami, commença-t-il d'un ton grave. Je ne l'ai même pas connu et je le regrette. Mais peut-être que, lorsque le temps aura passé, je pourrai me tailler une place auprès de toi.

Dominique était trop fatiguée pour répondre. Mais peut-être que ce serait possible...

Mathieu se leva.

— Cette fille a besoin de repos, dit-il d'une voix sévère. Je veux que vous sortiez tous *immédiatement*.

En acquiesçant d'un air obéissant, Louis, Judith et Amélie se retournèrent pour sortir. Mathieu se pencha au-dessus de Dominique.

— Ça ira maintenant, dit-il. Tu peux dormir. Oublie tous ces mauvais souvenirs et ferme les yeux. C'est terminé. Vraiment terminé.

Se sentant en sécurité, entourée de gens qui l'aimaient et souhaitaient qu'elle guérisse, Dominique ferma les yeux...

... et dormit paisiblement.

Un mot sur l'auteure

Diane Hoh est l'auteure de *L'invitation trompeuse*, *L'accident* et *Terreur à Saint-Louis*. Elle a grandi à Warren, un joli village situé sur les bords de la rivière Allegheny, en Pennsylvanie. Depuis lors, elle a habité l'État de New York, le Colorado et la Caroline du Nord. Elle est maintenant installée avec sa famille à Austin, au Texas, où elle a l'intention de rester. La lecture et l'écriture, en plus de sa famille, de la musique et du jardinage, occupent ses journées.

Dans la même collection

1. Quel rendez-vous!
2. L'admirateur secret
3. Qui est à l'appareil?
4. Cette nuit-là!
5. Poisson d'avril
6. Ange ou démon?
7. La gardienne
8. La robe de bal
9. L'examen fatidique
10. Le chouchou du professeur
11. Terreur à Saint-Louis
12. Fête sur la plage
13. Le passage secret
14. Le retour de Bob
15. Le bonhomme de neige
16. Les poupées mutilées
17. La gardienne II
18. L'accident
19. La rouquine
20. La fenêtre
21. L'invitation trompeuse
22. Un week-end très spécial
23. Chez Trixie
24. Miroir, miroir
25. Fièvre mortelle
26. Délit de fuite

ACHEVÉ D'IMPRIMER
EN JUIN 1993
SUR LES PRESSES DE
PAYETTE & SIMMS INC.
À SAINT-LAMBERT, P.Q.